PROFIL

Collection diri

Thérèse Raquin

ÉMILE ZOLA

JEAN-DANIEL MALLET
Agrégé de l'Université
Docteur ès Lettres

LAURE HIMY
Agrégée de l'Université
Docteur ès Lettres

Sommaire

© HATIER, PARIS, SEPTEMBRE 1999   ISSN 0750-2516   ISBN 2-218 **72933-4**

Six lectures méthodiques

Dans les pages suivantes, les références entre parenthèses renvoient à l'édition Gallimard de **Thérèse Raquin***, collection « Folio classique » n° 1116.*

Jean-Daniel Mallet a rédigé les problématiques essentielles.
Laure Himy a rédigé le résumé, les repères pour la lecture et les lectures méthodiques.

Édition : Benoît Berthou
Maquette : Tout pour plaire
Mise en page : Nicole Pellieux

Thérèse Raquin (1867)

Émile Zola (1840-1902)

Roman   XIXe siècle

RÉSUMÉ

Madame Raquin, son fils Camille, et Thérèse, l'épouse de celui-ci, vivent à Paris, dans une sombre mercerie. Mariée à Camille, son cousin souffreteux, Thérèse s'ennuie et est écœurée par l'atmosphère de la boutique. Elle feint pourtant d'être heureuse, réprime l'énergie qui la brûle et contemple avec mépris son mari, un éternel convalescent.

Un soir, Camille amène à la maison Laurent, un ancien ami, qu'il a retrouvé par hasard. Entre Laurent et Thérèse naît bientôt une passion physique et violente.

La difficulté de se rencontrer clandestinement fait germer dans l'esprit des amants l'idée de tuer Camille. Ainsi pourront-ils s'aimer en toute liberté. Encore faut-il que le meurtre paraisse un accident. Laurent trouve la solution. Un dimanche, lors d'une promenade sur la Seine, il noie Camille et fait chavirer la barque.

Pour les deux amants, désormais assassins, c'est paradoxalement le début des angoisses. L'enquête policière conclut certes à un tragique accident. Mais ni Thérèse ni Laurent ne peuvent échapper au souvenir de l'assassinat de Camille. Tel un fantôme, celui-ci vient hanter leurs nuits. Le remariage de Thérèse avec Laurent ne donne pas au nouveau couple le bonheur espéré. C'est comme si le cadavre de Laurent couchait entre eux.

Tous deux sombrent bientôt dans la folie, rejettent sur l'autre la responsabilité du crime. Ce sont des scènes affreuses, des coups et des cris. Mme Raquin comprend lors de leurs disputes continuelles qu'ils ont tué Camille. Mais, devenue paralysée et muette, elle ne peut les dénoncer à la police. Dégoûtés par leur existence, les deux meurtriers finissent par se suicider.

– Mme Raquin : mère dévouée à son fils souffreteux comme à sa nièce, elle découvre tragiquement que son fils a été assassiné par ceux-là mêmes qu'elle considérait comme ses enfants.

– Camille : faible et insignifiant de son vivant, il acquiert, tel un inquiétant fantôme, une grandeur et une importance redoutables après sa mort.

– Laurent : amant égoïste de Thérèse, il noie Camille et sombre progressivement dans la folie, avant de se suicider.

– Thérèse : cousine et épouse de Camille, élevée par Mme Raquin, elle est autant victime des circonstances que de son propre corps.

C L É S   P O U R   L A   L E C T U R E

1. Une préfiguration du roman naturaliste

Par l'étude de l'hérédité et des milieux sociaux, par l'importance accordée à la physiologie au détriment de la psychologie, le roman annonce le naturalisme de Zola.

2. Un roman de la névrose et de la folie

Les deux assassins sont, chacun à leur façon, des déséquilibrés. Leur lente descente vers la folie organise la trame du roman.

3. Un vrai faux roman policier

Thérèse et Laurent réalisent le crime parfait. Mais incapables de supporter nerveusement leur geste criminel, ils finissent par rendre justice en se suicidant.

PREMIÈRE PARTIE

Résumé
et repères
pour la lecture

L'exposition

RÉSUMÉ

Chapitre I. À Paris, le passage du Pont-Neuf relie la rue Mazarine à la rue de Seine. C'est un corridor sinistre, où s'alignent de misérables boutiques. On trouve là une mercerie. Sur la porte est écrit un nom : Thérèse Raquin. Dans la boutique, on aperçoit deux femmes, l'une vieille, l'autre jeune, ainsi qu'un jeune homme d'allure chétive.

Chapitre II. Mme Raquin est la propriétaire. Mercière à Vernon, elle vendit son fonds de commerce à la mort de son mari, et loua une maison au bord de la Seine pour y vivre paisiblement avec son fils Camille et sa nièce Thérèse. Camille, malade depuis l'enfance, restait à vingt ans un être chétif, que sa mère adorait d'autant plus qu'elle l'avait longtemps soigné. Il travaillait péniblement comme comptable chez un marchand. À l'inverse, Thérèse possédait une santé de fer. Sa mère était algérienne et son père, le frère de Mme Raquin, un officier français, confia l'enfant à sa sœur après son veuvage. Mme Raquin éleva Thérèse comme Camille, lui imposant une vie forcée de convalescente. Thérèse prit l'habitude de réprimer sa vitalité et de se taire. Ainsi, elle ne s'opposa pas au projet de Mme Raquin de la marier à Camille. Cette union lui semblait être une chose nécessaire, fatale.

Chapitre III. Une semaine après son mariage, Camille se révolta : il entendait vivre à Paris, où il voulait être employé dans une grande administration. Mme Raquin se résolut à abandonner la tranquillité de sa maison au bord de l'eau, à acheter une mercerie à Paris et à reprendre son ancien métier. Le jeune couple pouvait avoir des enfants : il faudrait s'en occuper, subvenir à leur éducation. Thérèse suivit sans un mot. Tous trois logent dans un appartement, au-dessus de la boutique. Il est aussi lugubre que le passage du Pont-Neuf. Thérèse aide sa tante, les affaires vont doucement. Camille a trouvé un emploi à l'administration du chemin de fer d'Orléans. Le soir, il lit, croyant ainsi travailler à son éducation.

Chapitre IV. Chaque jeudi soir, c'est l'événement de la semaine. Les Raquin reçoivent des amis : le commissaire de police en retraite

Michaud, que Mme Raquin rencontra à Vernon ; son fils Olivier et sa femme Suzanne ; Grivet, un collègue que Camille admire, et dont il espère prendre la place de premier commis. Mme Raquin sert le thé, et tous se lancent dans d'interminables parties de dominos. Thérèse les regarde jouer, cachant son mépris et son ennui en caressant le chat François.

REPÈRES POUR LA LECTURE

Un décor réaliste, fantastique, et symbolique [1]

Un « passage » est un élément typique du Paris du XIXe siècle. La capitale comptait en effet plusieurs de ces allées couvertes d'un vitrage, bordées de boutiques, reliant les rues entre elles. La description du « passage » du Pont-Neuf est précise. D'emblée, le narrateur ancre le récit dans le réel, et fait ressortir le caractère sordide des lieux. Les champs lexicaux de l'obscurité, de la saleté et du gluant le soulignent avec insistance.

Le réalisme de cette description n'exclut pourtant pas des échappées vers le fantastique. Des « formes bizarres » s'agitent dans les boutiques. Le soir, de « grandes ombres s'allongent sur les dalles » (p. 33). Les reflets du jour, la lueur blafarde des becs de gaz, les maigres lampes éclairant l'intérieur des boutiques : tous ces éléments dépeignent un monde reclus et inquiétant.

Enfin, la description est également symbolique. Des comparaisons systématiques associent le décor au crime et à la mort : « le passage prend l'aspect sinistre d'un véritable coupe-gorge » (p. 33) ; la mercerie laisse « échapper des souffles froids de caveau » (p. 31). Ce décor hideux ne peut appeler que des actions hideuses.

Le système de présentation des personnages

Les chapitres II et III retracent le passé des personnages, expliquent les liens qui les unissent, présentent leurs activités. Les informations communiquées au lecteur s'organisent selon deux principes : la prépondérance de la physiologie et l'opposition des tempéraments.

---

1. Cf. lecture méthodique n° 1, p. 96.

La vie tout entière de Camille est déterminée par sa faible constitution. De là lui viennent son apparence « malingre », son piètre
niveau d'études (sa mère ayant refusé de l'envoyer dans un collège),
et son incapacité à s'épanouir dans le mariage. Thérèse est, à l'inverse, une nature de feu, tout en fougue et en « emportements terribles » (p. 41). Son hérédité la voue aux passions violentes. Cette
explication du comportement des personnages par la physiologie est
à la base de la doctrine naturaliste, que Zola développera véritablement quelques années plus tard dans la grande fresque des *Rougon-
Macquart*[1].

Thérèse et Camille sont à l'opposé l'un de l'autre. Le style de vie,
monotone et précautionneux, que leur impose Mme Raquin, ne les
rend semblables qu'en apparence : « On sentait en elle [Thérèse] des
souplesses félines, des muscles courts et puissants, toute une énergie, toute une passion qui dormaient dans sa chair assoupie » (p. 40).
Tôt ou tard, sa nature poussera Thérèse à s'opposer à Camille.

La montée inéluctable du drame

La mise en place de l'intrigue s'effectue lentement. Le chapitre IV
insiste sur la fadeur de l'existence que mènent les Raquin et sur l'ennui qui s'en dégage. Tout annonce le drame, bien qu'aucun événement ne se produise. Les silences de Thérèse deviennent de plus en
plus lourds. Les joueurs de dominos lui paraissent être des
« cadavres mécaniques », des « poupées de carton », aux « sourires
écœurants » (p. 56). C'est le calme avant la tempête. Thérèse réprime
ses instincts, ressent « des dégoûts profonds, des irritations
sourdes » (p. 55), voit « la vie s'étendre devant elle, toute nue, amenant chaque soir la même couche froide et chaque matin la même
journée vide » (p. 51). Laurent libérera Thérèse de sa résignation.

---

1. Cf. p. 63.

Le bonheur de l'adultère

RÉSUMÉ

Chapitre V. Un jeudi, Camille présente Laurent à sa famille : c'est un ami d'enfance qu'il vient de retrouver à la gare du chemin de fer d'Orléans où il est employé comme lui. Thérèse est immédiatement troublée par le nouvel arrivant.

Chapitre VI. Laurent, qui s'exerça naguère à la peinture, propose de faire le portrait de Camille. Sa proposition est chaleureusement accueillie, et il revient ainsi chaque soir chez les Raquin. Ses visites régulières accroissent le trouble de Thérèse et Laurent s'en aperçoit. Après avoir pesé les avantages et les inconvénients d'une liaison avec la jeune femme, il se décide à devenir son amant dès que l'occasion s'en présentera. Le portrait est achevé : il est « ignoble, d'un gris sale », et Camille a « la face verdâtre d'un noyé ». Tout le monde se déclare enchanté du résultat. Pour fêter l'événement, Camille part chercher du champagne pendant que Mme Raquin regagne sa boutique. Laurent et Thérèse se retrouvent en tête-à-tête. Sans un mot, ils s'étreignent violemment.

Chapitre VII. Les deux amants trouvent d'emblée « leur union nécessaire, fatale, toute naturelle ». Laurent obtient de son chef de bureau l'autorisation de s'absenter, et rejoint ainsi Thérèse. Les amants se retrouvent dans la chambre conjugale de Thérèse et de Camille, alors que ce dernier travaille et que Mme Raquin tient la boutique. Thérèse se révèle être une maîtresse ardente et passionnée, « d'une impudeur souveraine », comme si, après tant d'années passées à réprimer sa nature, elle renaissait à la vie. Son tempérament effraie Laurent, habitué à des amours plus calmes et moins dangereuses. Que se passerait-il si Mme Raquin, ou Camille, les surprenait ? Thérèse s'en moque. Seul, le chat François les observe.

Chapitre VIII. Des mois heureux s'écoulent. Devenu « l'amant de la femme, l'ami du mari, l'enfant gâté de la mère », Laurent se sent chez les Raquin comme chez lui. Camille ne se doute de rien et rit aux plaisanteries de Laurent. Impassible et silencieuse en public, Thérèse se montre passionnée et volubile dès qu'elle est seule avec son amant. Ils vivent dans une « béatitude complète » et Mme Raquin regarde ses trois enfants avec contentement.

Laurent, un personnage clé

Les chapitres V et VI se focalisent sur Laurent, nouveau venu dans le cercle des Raquin. Il est décrit comme « un paresseux, ayant des appétits sanguins, des désirs très arrêtés de jouissances faciles et durables » (p. 60). Ainsi, il a renoncé à être cultivateur et avocat, professions trop fatigantes à son goût. Devenu artiste - peintre, il se sent « lâche devant les privations » (p. 60), et rentre finalement dans l'administration. Sa brève et piètre expérience d'artiste joue un double rôle dans le déroulement de l'intrigue. Tout d'abord, le récit de sa vie d'artiste, l'évocation des modèles nus qui posaient pour lui, éveillent les désirs de Thérèse, comme si elle se voyait à leur place devant Laurent. La scène annonce ainsi indirectement leur liaison. Ensuite, l'exécution du portrait de Camille donne à Laurent un prétexte pour revenir quotidiennement chez les Raquin, et revoir Thérèse.

La passion comme une fatalité

En apparence, l'intrigue est d'une grande banalité, mais il ne s'agit pas d'un simple adultère, où deux amants compensent la tristesse de leur vie. L'union de Thérèse et de Laurent est tout de suite présentée comme involontaire, et subie. Le terme « fatale », qui sert à la qualifier, est très fort : il désigne une intervention du destin, et laisse attendre une issue tragique.

Les deux personnages semblent transformés par cette union. Thérèse n'est plus une jeune fille silencieuse et résignée : elle retrouve « ses instincts de femme nerveuse », l'influence de « ce sang africain qui brûlait ses veines » (p. 73). Laurent, lui, redécouvre « sa prudence sournoise de paysan » (p. 78). Tous deux semblent revenir à leurs origines, l'Afrique et la campagne.

Par la passion, les personnages sortent pour ainsi dire d'eux-mêmes. Ils obéissent à une force qui les domine, qui n'est plus leur volonté consciente. Le vocabulaire de la volonté vient s'opposer aux actions effectives : « il voulut oublier » « il céda », « il revint », « il la subissait ». Thérèse éprouve la même chose : « [ton sang] m'attirait et me retenait auprès de toi, malgré mes sourdes révoltes » ; « une force fatale me ramenait à ton côté » (p. 77). Le narrateur utilise les termes « céder » et « lâchetés » pour décrire la passion des deux personnages, passion dont ils sont à la fois témoins et acteurs : « Puis il eut des lâchetés », « il céda » (p. 73) est l'exact pendant de l'aveu de Thérèse à Laurent « Mais je cédais à mes lâchetés » (p. 77).

Naissance d'une liaison

La description de la liaison entre Thérèse et Laurent est marquée par un triple refus de la part du narrateur : refus de tout romantisme ; refus de la psychologie ; refus de la morale.

L'adultère décrit n'a rien d'exaltant ou de romantique. C'est par confort que Laurent finit par devenir l'amant de Thérèse : cela « ne lui coûterait rien » et Thérèse ayant « intérêt à tout cacher, il la planterait là aisément quand il voudrait » (p. 68). Thérèse, quant à elle, « se vautrait dans les âpretés de l'adultère » (p. 84), et « elle trouvait une volupté amère à tromper Camille et Mme Raquin » (p. 83). Lorsqu'elle est avec Laurent, elle se sent « comme orgueilleuse et vengée », et « la chambre nue et glaciale » accueille « des scènes de passion ardente, d'une brutalité sinistre » (p. 77) : leur histoire d'amour est sordide.

Le refus de la psychologie se marque par de nombreuses références à la physiologie. Le narrateur n'évoque ni sentiment, ni rêve, ni pensée, mais décrit « la femme nerveuse et hypocrite », et « l'homme sanguin et vivant en brute ». Les chapitres VII et VIII, qui peignent la « renaissance » de Thérèse, insistent sur son « énergie », ses « frémissements ».

Zola ne porte aucun jugement sur le comportement de ses personnages. L'adultère, alors fortement condamné par la loi, est montré comme la conséquence de leur « tempérament ». Thérèse et Laurent obéissent à des lois physiologiques, au sang de leurs parents, et sont déterminés par une hérédité inscrite dans leur chair. L'auteur veut expliquer leur comportement et non le blâmer.

La crise

RÉSUMÉ

Chapitre IX. La situation des amants se complique brutalement : Laurent se voit retirer l'autorisation de quitter son bureau et ne peut plus rejoindre Thérèse. Séparés, ils prennent alors la mesure du besoin qu'ils ont l'un de l'autre. Thérèse trouve le moyen de donner à Laurent un ultime rendez-vous, chez lui. Là, poussés par le désir, ils en arrivent à la conclusion que Camille les gêne, et qu'un « accident » pourrait arriver. Laurent l'assure que, même s'ils sont séparés durablement, il travaille à leur union. Resté seul, Laurent réfléchit : son père risque de ne rien lui léguer, et il aurait alors besoin des revenus de Mme Raquin. Camille s'avère être le seul obstacle à son confort matériel.

Chapitre X. Laurent continue à rendre visite aux Raquin. Un jeudi, on demande à Michaud de parler de ses anciennes fonctions de commissaire de police. Il fait peur à la petite compagnie en expliquant que nombre de crimes restent impunis. Thérèse et Laurent écoutent, silencieux.

Chapitre XI. Un dimanche, Camille, Thérèse et Laurent décident d'aller se promener à Saint-Ouen, et de manger au bord de l'eau. Rongés par leur séparation, les amants ressentent la présence de Camille comme insupportable. Laurent a alors l'idée du crime parfait. Il entraîne les deux époux dans une promenade en canot, attend d'avoir gagné un endroit éloigné et solitaire, et tente de jeter Camille à l'eau. Malgré sa faiblesse, ce dernier se défend et mord Laurent au cou avant de tomber. Pour faire croire à l'accident, Laurent empoigne Thérèse, fait chavirer le canot, et appelle au secours.

Chapitre XII. Laurent et Thérèse sont recueillis par une équipe de canotiers qui remontaient la Seine. Laurent décide de se rendre seul à Paris afin de laisser à Thérèse le temps de recouvrer ses esprits. Il se rend directement chez les Michaud, pour mettre la police de son côté. Michaud se propose pour annoncer l'horrible nouvelle à Mme Raquin, au grand soulagement de Laurent. Le désespoir de Mme Raquin est terrible, elle est prise « d'une crise folle de terreur et d'angoisse ». Ayant laissé Suzanne auprès de Mme Raquin, M. Michaud et son fils partent avec Laurent à Saint-Ouen. L'agent qui verbalise sur l'accident, voyant arriver un employé supérieur de la préfecture, règle l'affaire en dix minutes. Les canotiers prétendent même avoir assisté à l'accident! Laurent sent la joie l'envahir. Il n'hésite pas, pendant le voyage de retour, à tenir fermement la main de Thérèse, « comme un poids écrasant jeté sur la tête de Camille pour le maintenir sous l'eau ».

Chapitre XIII. Une seule chose tourmente encore Laurent : on n'a pas retrouvé le corps de Camille. Il se rend chaque matin à la Morgue, pour y observer les noyés. Les cadavres décomposés s'entassent sur le sol, offerts à la vue de tout le monde. Enfin, au bout d'une semaine, Laurent voit Camille : il a une apparence « ignoble », et son corps n'est plus « qu'un tas de chairs dissoutes ». Après l'enterrement, il s'empresse d'oublier ces images.

REPÈRES POUR LA LECTURE

Les techniques narratives

Dans ce chapitre capital, où se décide le meurtre de Camille, les différentes étapes de l'action sont distinguées par des techniques narratives distinctes.

Le chapitre commence sous la forme classique d'un récit alternant imparfait et passé simple. Il s'agit d'une focalisation zéro, où le narrateur omniscient fait état des pensées des personnages comme des événements extérieurs. Lorsque Thérèse doit se résoudre à quitter son amant, sans savoir s'ils pourront se revoir, la tension monte : le narrateur emploie le discours direct, et le texte est ponctué de paragraphes brefs, décrivant le comportement des personnages durant les dialogues. Le procédé est très proche d'une écriture théâtrale, avec ses répliques et ses didascalies, c'est-à-dire ses indications scéniques. L'idée du meurtre est ainsi mise en scène avec efficacité.

Enfin, Laurent reste seul. Pour rendre compte au mieux des pensées du personnage, la focalisation interne est la technique la plus adaptée. Elle permet au narrateur d'adopter le point de vue de

Laurent, et l'utilisation du discours indirect, voire du discours indirect libre, permettent au lecteur de suivre au plus près les méandres de sa réflexion.

Les techniques narratives sont donc très variées, s'enchaînant sans qu'il soit toujours simple de les discerner. Elles permettent de multiplier les points de vue, tendent à saisir totalement la réalité, condition sans laquelle le texte ne pourrait pas se prétendre scientifique.

Un élément de rupture

L'adultère, pour ces « brutes humaines » (préface, p. 24), est une source d'équilibre. Thérèse et Laurent y apaisent les besoins de leur « chair », et la situation aurait parfaitement pu durer éternellement. Or, les personnages se sont trouvés brutalement séparés. Un état de manque, purement physiologique, s'installe. Ils en arrivent à voir en Camille un obstacle à l'assouvissement de leurs désirs. L'idée du meurtre surgit, portée par la force des instincts, qui balaie toute morale. Dans ce contexte, le rôle du chapitre X est simple. Les derniers obstacles au projet de Laurent sont la crainte de la justice, et de son auxiliaire, la police. Les récits de Michaud le laissent songeur : « Mon cher Monsieur, [...] si on ne les arrête pas, c'est qu'on ignore qu'ils ont assassiné. » (p. 99)

Les éléments prémonitoires

Alors que la tension est au plus haut, que le crime se prépare, certaines phrases apparaissent comme prémonitoires. Ainsi, au chapitre XI, Mme Raquin, inquiète de voir partir son fils, fait des recommandations aux jeunes gens : « Vous me promettez de ne pas aller dans la foule. » Mais quand, plus tard, Laurent décidera de s'éloigner de la foule ce sera précisément pour commettre le meurtre. De même, Camille annonce par deux fois la suite des événements : « On ferait un fameux plongeon » (p. 109), « Il ne ferait pas bon de piquer une tête dans ce bouillon-là » (p. 111).

Le paysage paraît également annoncer le funeste événement. Ce sont d'abord l'eau et le ciel qui semblent noyés « dans la même étoffe blanchâtre ». Puis « la campagne [...] sent la mort venir », « il y a, dans les cieux, des souffles plaintifs de désespérance », et la nuit apporte « des linceuls dans son ombre » (p. 110). La nature se fait presque complice du crime de Thérèse et de Laurent.

Le parti pris de vérité

Zola veut montrer la réalité telle qu'elle est, et se refuse à l'embellir au nom de l'art ou de la nécessité morale. La scène de la Morgue est un parfait exemple de cette volonté de vérité, et le texte prend une tonalité macabre. La description des corps est ainsi très précise : les cadavres sont « gonflés et bleuis par l'eau », parfois « les os avaient troué la peau amollie, la face était comme bouillie et désossée ». Le narrateur parle de la « rigidité de la mort », note que « tous les noyés sont gras » (p. 125). Les corps sont soumis à des lois physiologiques qui président à leur décomposition. Les cadavres forment ainsi toute une variété de « tâches vertes et jaunes, blanches et rouges », exposées sur des « rangées de dalles grises » (p. 125), ce qui fait de la Morgue « un spectacle à la portée de toutes les bourses » (p. 127). Ces descriptions s'inscrivent dans une conception matérialiste de la vie : la morale, chose abstraite, s'efface devant quelque chose de très concret, la mort.

Le thème du revenant

La description du corps de Camille prend des allures fantastiques, annonçant le thème du revenant. Laurent ne parviendra en fait jamais à oublier le corps du noyé, qui « se ramassait dans sa pourriture » et « faisait un tout petit tas » (p. 130). Camille, défiguré, décomposé, apparaîtra par la suite constamment à Laurent et Thérèse.

Deux éléments poursuivront Laurent tout au long du chapitre XIII. C'est d'abord la blessure que Camille, en le mordant au cou, a inscrite dans sa chair. Elle est ici brièvement décrite (« un trou rouge, large comme une pièce de deux sous », p. 123), mais l'importance de ce thème s'accentuera par la suite. Enfin, alors qu'il se regarde dans le miroir, Laurent ressemble à Camille : « le miroir verdâtre donnait à sa face une grimace atroce ». En devenant criminel, Laurent a commis l'acte qui le condamne lui-même à mort. Il porte doublement la marque du noyé : il arbore ses couleurs blafardes et subit la morsure de ses dents.

La détente après la crise

RÉSUMÉ

Chapitre XIV. La mercerie est fermée depuis trois jours. Suzanne reste avec Thérèse et Mme Raquin, qui ne quitte pas le lit, encore abrutie par la mort de son fils. Finalement, au bout de trois jours, Thérèse parvient à sortir Mme Raquin de son hébétement. La pauvre femme, vieillie et brisée, se décide à rouvrir la boutique.

Chapitre XV. Laurent revient à la boutique, le soir, tous les deux ou trois jours. Et un jeudi, les Michaud, estimant qu'il est temps de reprendre leurs habitudes, se présentent chez Mme Raquin. Elle les accueille volontiers, mais éclate bientôt en sanglots. Tous sont gênés : personne n'a « plus dans le cœur le moindre souvenir vivant de Camille ».

Chapitre XVI. Quinze mois s'écoulent. Laurent prend l'habitude de passer chez les Raquin, pour aider à fermer le magasin. Malgré la disparition de Camille, Thérèse et Laurent ne cherchent pas à se voir en privé. Thérèse connaît une période de calme : elle s'ouvre au monde extérieur, s'abonne à un cabinet littéraire… Ses lectures ravivent son tempérament nerveux. Laurent, de son côté, s'étonne d'avoir pu commettre pareille folie, et hésite même à épouser Thérèse. Il rencontre chez un ami peintre un modèle qui pose nue. Il en fait sa maîtresse, et mène avec elle une existence tranquille. Lorsque cette femme le quitte, il « éprouve un vide subit dans son existence ». La frustration, combinée à la peur d'avoir commis un crime pour rien, le ramène vers Thérèse. Celle-ci exige le mariage.

REPÈRE POUR LA LECTURE

Le mécanisme de la passion

Chez ces êtres dominés par leur tempérament, la passion, loin d'être romantique, est affaire de chimie. La tension physique qu'ils éprouvent doit être apaisée. Le crime apporte un nouvel équilibre aux amants. Tout recommence comme avant, faisant du meurtre une parenthèse : les soirées du jeudi reprennent, la vie redevient réglée et monotone. Mais Laurent connaît bientôt de nouvelles frustrations : sa maîtresse le quitte. Plus généralement, son tempérament le pousse vers une vie de satisfactions aussi simples que manger ou dormir. Épouser Thérèse, s'assurer de ses revenus, est un moyen de satisfaire les besoins que son corps lui dicte.

Les motifs de Thérèse sont différents, mais également dictés par son tempérament. Son veuvage lui permet de sortir, de lire. Mais cela exalte sa nervosité, et attise sa fougue héréditaire. C'est donc elle, obéissant à des motifs instinctifs et non sentimentaux, qui exige le mariage.

L'union contre Camille

RÉSUMÉ

Chapitre XVII. Laurent rentre chez lui, dans un état de tension extrême. En proie à une sorte de délire, il a peur du noir, croit qu'on veut l'assassiner. Dans un demi-sommeil, il rêve qu'il va retrouver Thérèse comme au début de leur liaison. Mais c'est le cadavre de Camille qui ouvre la porte de la chambre... Après une nuit atroce, il se rend chez Thérèse, qu'il trouve aussi abattue que lui. Sans même se parler, ils comprennent que seule leur union les protègera du spectre de Camille.

Chapitre XVIII. Thérèse échafaude un plan : pour que personne ne les soupçonne, l'idée du mariage ne doit pas venir d'eux. Il faudra donc être patient. Tous deux, chaque nuit, sont visités par le spectre de Camille.

Chapitre XIX. Mme Raquin s'aperçoit enfin du malaise de Thérèse. Elle demande conseil à son ami Michaud, qui lui déclare sans détour que la jeune femme a besoin de se remarier. Mme Raquin est d'abord choquée, mais Laurent et les invités du jeudi l'effrayent : elle finit par redouter de perdre aussi Thérèse, et de n'avoir personne auprès d'elle pour ses vieux jours. Les attentions de Laurent pour elle font qu'elle accepte facilement l'idée de Michaud, lorsqu'il propose de marier Thérèse et Laurent.

Le dédoublement

C'est d'abord Laurent qui est en proie à des cauchemars qui deviendront par la suite quotidiens. Il a l'impression de perdre la raison, d'être face à quelque chose d'« inexplicable », d'« étrange ». Le caractère exceptionnel de son comportement est souligné par l'opposition entre deux adverbes (« d'ordinaire », « ce soir-là »). Laurent est partagé entre deux états de conscience opposés, qui remettent ainsi en question la maîtrise qu'il a de lui-même : « Je ne suis pourtant pas poltron » se dit-il (p. 156). À son « moi conscient » s'oppose quelque chose, qui ne lui correspond pas ; au « gaillard » sans problèmes s'oppose un être qui se pose des questions. Pour montrer cette scission, le texte multiplie les procédés destinés à caractériser les deux « moi » : les interrogatives indirectes et l'apparition du mode conditionnel montrent qu'une partie du personnage obéit à des éléments qui sont de l'ordre de l'irrationnel, de l'imaginaire.

L'union des tempéraments

Durant ces trois chapitres, Thérèse et Laurent perdent tous deux la maîtrise d'eux-mêmes. Ils sont en proie aux mêmes affres et sont visités par le spectre de Camille. Leurs tempéraments sont semblables, et déterminent totalement leurs actions sans que les personnages ne puissent rien y faire. Thérèse connaît ainsi les mêmes affres que Laurent : « Thérèse, elle aussi, avait été visitée par le spectre, pendant cette nuit de fièvre » (p. 159). À ce moment, et alors que les personnages sont séparés et paraissent indifférents l'un à l'autre, le narrateur met l'accent sur leur proximité. Au chapitre XVIII, ils sont tous deux fréquemment désignés par les pronoms « ils », « les », « eux ».

Enfin, l'union tacite est officialisée par la proposition de mariage qui survient au chapitre XIX. Dès lors, le mouvement s'inverse : les deux personnages sont décrits comme deux aimants, de même polarité, qui se repoussent dès qu'ils sont rapprochés : « Le jeune homme fut pris d'un étrange malaise en posant ses lèvres sur les joues de la veuve, et celle-ci se recula brusquement, comme brûlée par les deux baisers de son amant » (p. 176).

CHAPITRES XX À XXV (pages 179-232)

Des héros tragiques

RÉSUMÉ

Chapitre XX. Le jour du mariage arrive. Thérèse et Laurent espèrent que leur union les délivrera de leurs visions nocturnes. Pourtant, ils éprouvent tous deux tout le long de la journée « des sensations étranges », et se sentent plus séparés que rapprochés par cette cérémonie. L'idée de se retrouver seuls dans la chambre nuptiale les effraye.

Chapitre XXI. Mme Raquin a arrangé la chambre nuptiale. C'est pourtant avec « effroi et répugnance » que les jeunes mariés s'y retrouvent. Pour ranimer leur passion, Laurent évoque leurs souvenirs, mais prononce le nom de Camille. Le spectre du noyé fait alors son apparition. Ils ont beau essayer de parler de tout et de rien, le souvenir de Camille et du meurtre les obsède. Désemparé, Laurent se blottit contre Thérèse. Elle aperçoit la marque qu'a laissée Camille sur le cou de son amant. Laurent force Thérèse à embrasser la plaie, mais cela ne l'apaise pas. Tous deux comprennent alors avec horreur qu'ils sont condamnés à vivre ensemble, bien que leur passion soit éteinte. Laurent voit alors le spectre de Camille : il s'agit en fait du portrait qu'il fit de sa victime, accroché dans un coin sombre de la chambre. Il s'imagine ensuite que le chat, François, porte l'esprit de Camille. Chacun à un bout de la chambre, ils attendent la levée du jour et la fin de leurs cauchemars.

Chapitre XXII. Laurent, de tempérament sanguin, est influencé par la nervosité de sa femme : l'action des nerfs, purement physique, provoque en lui des hallucinations, sans qu'aucun remords ne lui vienne pourtant à l'esprit. Thérèse, quant à elle, déjà nerveuse, ne fait que connaître une exaltation plus grande. Tous deux vivent le même enfer : ils ont le sentiment horrible de partager leur lit avec leur victime, Camille. Laurent en vient à se demander comment tuer Camille une seconde fois.

Chapitre XXIII. Trois semaines passent sans apporter le moindre réconfort au jeune couple. Laurent et Thérèse sont prêts à tout pour obtenir un soulagement. Laurent prend Thérèse de force, pour chasser le spectre de Camille. Les baisers du couple ressemblent davantage à une lutte atroce qu'à un échange amoureux. Ils renoncent définitivement, et sentent entre eux « le froid du cadavre qui, maintenant, devait les séparer à jamais ».

Chapitre XXIV. Le couple connaît une double vie. Le jour, chacun vaque à ses occupations, et connaît un certain calme. Le soir, la présence de Mme Raquin, et les soirées du jeudi, évitent aux mariés de se trouver ensemble, et leur permettent de donner le change : on les croit un couple heureux. Mais la nuit, ils sont la proie de terribles hallucinations.

Chapitre XXV. Au bout de quatre mois, Laurent décide, comme il se l'était promis, de démissionner de son emploi, et de louer un atelier pour peindre. Il trouve une pièce semblable « à un caveau creusé dans une argile grise ». Un jour, il rencontre un ancien camarade peintre, à qui il montre ses toiles. Celui-ci, stupéfait par la qualité des toiles, émet cependant un reproche : elles se ressemblent toutes. Laurent prend alors conscience qu'il représente sans cesse le visage de Camille. Il se jette sur la toile, mais ses doigts reviennent toujours à cet unique motif. Sa main ne lui appartient plus. Il doit renoncer à peindre.

REPÈRES POUR LA LECTURE

La correspondance des lieux et des personnages

Le décor se transforme au fur et à mesure que les personnages s'enfoncent dans l'angoisse. Mme Raquin a d'abord voulu faire plaisir aux jeunes mariés, et la chambre nuptiale est décrite comme « un désert heureux, un coin ignoré, chaud et sentant bon » (p. 185). Cependant, les clartés « jaunes » de la lampe deviennent vite « rougeâtres ». Et la lumière donne aux personnages un « visage san-glant ». De la même façon, après la terrible nuit de noces, le décor change : « le feu se mourait doucement », et l'extérieur prend un aspect négatif (« le jour » est « sale et blanchâtre »). Ainsi, le nid censé accueillir de « jeunes et fraîches amours » devient le lieu clos de l'enfer dans lequel ils vivent, symbolisé par la présence des flammes.

L'analyse d'un « cas »

Ces chapitres sont l'illustration d'une théorie : « Dans *Thérèse Raquin*, j'ai voulu étudier des tempéraments et non des caractères. [...] J'ai choisi des personnages souverainement dominés par leurs nerfs et leur sang, dépourvus de libre arbitre, entraînés à chaque acte de leur vie par les fatalités de leur chair » écrit Zola dans la préface de son roman (p. 24). Le romancier veut montrer l'influence de la physiologie sur le comportement des individus. Ainsi, la progression de l'intrigue est régulièrement doublée d'un commentaire général, destiné à dépasser le niveau des individus. Les procédés d'écriture sont nets : le pluriel rassemble la diversité des nuits en une répétition de nuits semblables ; le présent de l'indicatif indique la généralité du propos ; le vocabulaire physiologique donne à l'ensemble une tona-lité scientifique. Et l'imparfait qui s'installe dans le récit est un impar-fait de répétition.

La mesure du temps

L'enfermement dans lequel vivent les personnages livrés à leurs cauchemars se traduit dans leur perception du temps. La progres-sion de l'action est nettement indiquée : « les nuits suivantes », « les premières nuits », « pendant une semaine », « pendant plus de quinze jours » (XXII) ; « au bout de quatre mois » (XXV). Mais cette avancée linéaire du temps ne concerne pas les époux, qui ne connaissent, eux, que la répétition. Ils sont enfermés dans le présent de leur obsession, et ce présent est éternel : le temps leur apparaît comme une stagnation. L'expression adverbiale « à jamais » traduit cette clô-ture du temps : « chaque semaine ramena un jeudi soir », « chaque jour ». On comprend alors que Laurent ne soit plus capable de peindre que la figure de Camille : le temps est pour lui l'éternelle répétition de ses angoisses, et le chapitre XXV s'achève sur « ne... plus », « toujours », « jamais », « sans cesse ».

La chambre est un huis clos, le temps est cantonné à la répétition : le récit reprend les unités de lieu et de temps d'une tragédie classique. Et la fatalité qui s'abat sur les héros tragiques prend ici la forme des lois physiologiques, auxquelles les personnages sont soumis.

CHAPITRES XXVI À XXX (pages 233-283)

Le resserrement du nœud tragique

RÉSUMÉ

Chapitre XXVI. Mme Raquin, déjà très malade, connaît une nouvelle crise qui la laisse totalement paralysée, incapable de parler, juste capable de bouger les yeux. Les jeunes mariés se retrouvent face à eux-mêmes. Oubliant Mme Raquin, et emportés par la force de l'hallucination, les époux trahissent au cours d'une querelle leur douloureux secret.

Chapitre XXVII. Un jeudi, Mme Raquin tente de révéler le crime de Thérèse et Laurent aux invités. Dans un effort surhumain, elle trace des lettres sur la table avec sa main. Mais, Michaud, qui prétend connaître toutes les pensées de la paralytique, l'interrompt sans cesse. Épuisée, elle renonce.

Chapitre XXVIII. Au bout de deux mois, Thérèse et Laurent en arrivent à éprouver de la haine l'un pour l'autre. Mme Raquin voit avec délectation les amants se déchirer.

Chapitre XXIX. Thérèse traverse une phase de remords. Elle pleure aux pieds de la vieille dame, évoque Camille avec regret. Elle lui demande pardon et embrasse en larmes Mme Raquin pour qui ses baisers sont une véritable torture. Ses regrets excèdent Laurent, qui se met à battre Thérèse.

Chapitre XXX. Les larmes n'apaisent pas Thérèse. Elle multiplie alors les sorties, et Laurent, craignant qu'elle ne le dénonce, en vient à penser au meurtre.

Les personnages secondaires

Selon la théorie naturaliste, le milieu d'où les personnages sont issus et dans lequel ils évoluent déterminent profondément leurs comportements. L'étude de ce milieu est donc nécessaire, et Zola s'intéresse au cercle d'amis des Raquin, les invités du jeudi.

Le texte prend alors une tonalité satirique. Grivet et Michaud sont présentés comme deux égoïstes. Ainsi, Grivet va chaque jeudi chez les Raquin « comme il se rendait chaque matin à son bureau, mécaniquement, par un instinct de brute » (p. 54). Tous ont ainsi craint, après la mort de Camille, la fin des soirées du jeudi, et le retour de l'ennui. Ils sont en fait totalement insensibles au malheur de Mme Raquin. Ils font mine de saisir les désirs de cette dernière mais ne pensent en fait qu'à leurs dominos : « Elle dit que je fais bien de poser le double-six », « Où en étions-nous ? ». Le récit constitue ainsi une satire cruelle de la bêtise de cette petite société.

Le thème du spectre

« Frappée de mutisme et d'immobilité », Mme Raquin vit auprès du couple comme une morte vivante. Son état rappelle d'ailleurs les circonstances du décès de Camille. La crise « la prit à la gorge », « il lui semblait qu'on l'étranglait » (p. 233), ce qui évoque la façon dont Laurent tua Camille (« en le serrant d'une main à la gorge »). Seuls ses yeux restent vivants (« ces yeux seuls bougeaient, roulant rapidement dans leurs orbites » ; p. 234), et, dans le portrait de Camille qui effraie Laurent lors de sa nuit de noces, ce sont les yeux qui l'horrifient le plus (« il y avait surtout les deux yeux blancs flottant dans les orbites molles et jaunâtres »). Mme Raquin incarne ainsi le spectre de Camille. Mais, alors que le spectre ne revient que la nuit, Mme Raquin étend cette ombre spectrale sur la journée. Le narrateur insiste alors sur son immobilité : « paralytique » et « impotente » reviennent à plusieurs reprises. « Elle était là sans cesse, dans son fauteuil, les mains pendantes sur les genoux, la tête droite, la face muette ». Elle fait ainsi penser à la statue de pierre qui, dans *Dom Juan* de Molière, vient reprocher son crime au héros, et l'entraîne dans la mort.

Un deuxième élément se rapporte au spectre : c'est le chat François. Celui-ci avait d'abord assisté aux ébats des amants. La description de la bête, à cette époque, ressemblait déjà étrangement à Mme Raquin paralysée : « François, gardant une immobilité de pierre, la contemplait toujours ; ses yeux seuls paraissaient vivants » (p. 80). Lorsque, plus tard, il prend place sur les genoux de Mme Raquin, les deux accusateurs semblent donc réunis. Leur alliance est soulignée, encore une fois, par le thème du regard (« Depuis surtout que ce dernier vivait sur les genoux de l'impotente, comme au sein d'une forteresse inexpugnable, d'où il pouvait impunément braquer ses yeux verts sur son ennemi » ; p. 282). L'obsession de Thérèse et Laurent s'est matérialisée, et le spectre de Camille s'est ainsi incarné.

CHAPITRES XXXI À XXXII (pages 285-301)

Le dénouement

RÉSUMÉ

Chapitre XXXI. Laurent décide de suivre Thérèse lorsqu'elle quitte la boutique. Il découvre qu'elle a un amant, n'en prend pas ombrage, et décide d'en profiter pour lui soutirer de l'argent. À son tour, il essaie de trouver le repos dans la compagnie des femmes et la bonne chère, mais en vain. Après avoir essayé d'échapper l'un à l'autre, Thérèse et Laurent se retrouvent à nouveau face à face. Recommençant à se battre, ils menacent mutuellement de se livrer à la police. Tous deux commencent à penser à un nouveau crime, voyant dans l'assassinat la seule délivrance possible.

Chapitre XXXII. Quatre ans après le début des soirées du jeudi, les habitués viennent, comme d'habitude, faire leurs parties de dominos.

Ce soir-là, Michaud proclame le salon « le Temple de la Paix ». Après le départ des invités, les époux s'apprêtent à se coucher. Laurent prépare un verre de poison pour Thérèse, tandis que Thérèse essaie de camoufler le couteau qu'elle réserve pour Laurent. Au dernier moment, tous deux s'aperçoivent des projets de l'autre : ils décident alors de boire ensemble le poison, et s'écroulent. Mme Raquin se repaît toute la nuit du spectacle de leurs cadavres.

REPÈRE POUR LA LECTURE

Un dénouement naturaliste

L'ensemble du roman est construit sur un jeu d'échos, qui fait de l'histoire de Thérèse et Laurent le récit d'une fatalité en marche. Le dernier paragraphe (l'excipit) fait écho au premier (l'incipit). La lumière « jaunâtre » du dernier paragraphe n'est pas bien différente de la lumière « blanchâtre » du début. Les cadavres « vautrés, tordus » rappellent les « formes bizarres » que l'on voyait dans le passage du Pont-Neuf. Toute l'intrigue est organisée autour d'échos semblables : le portrait de Camille préfigure le spectre du noyé ; le chat François annonce le personnage figé de Mme Raquin ; la douloureuse séparation des amants avant le crime prépare leur impossible cohabitation une fois mariés.

Le lecteur s'aperçoit alors de l'aspect inéluctable du drame. Les personnages aussi : ils échangent « un dernier regard, un regard de remerciement, en face du couteau et du verre de poison. » Ils éprouvent un « besoin immense de repos, de néant ». Malgré toutes leurs tentatives pour profiter de la vie, ou tout simplement vivre, les tempéraments de Thérèse et de Laurent les mènent à une issue fatale. Séparés, enfiévrés l'un par l'autre, ils conçoivent le meurtre de Camille comme une chose logique. Et mariés, enfermés l'un avec l'autre, c'est leur mort qui devient naturelle. On retrouve ici le matérialisme de Zola, et la conviction naturaliste que la psychologie est soumise à la physiologie. Thérèse et Laurent connaissent une longue déchéance, et périssent incapables de faire face à leurs « nerfs ». Toute l'intrigue n'a ainsi été qu'un lent travail de la mort.

DEUXIÈME PARTIE

Problématiques essentielles

1 | *Thérèse Raquin* dans l'œuvre de Zola

Lorsque *Thérèse Raquin* paraît en 1867, Émile Zola est âgé de 27 ans. Auteur en 1864 des *Contes à Ninon* et, en 1865, de *La Confession de Claude*, il n'est pas un inconnu dans le monde des lettres, mais n'est pas encore un écrivain célèbre. C'est avec *Thérèse Raquin* que Zola effectue sa véritable entrée en littérature.

DES DÉBUTS DIFFICILES

Né à Paris le 2 avril 1840, Zola est le fils d'un ingénieur d'origine vénitienne. Ses parents s'installent peu après à Aix-en-Provence. Inscrit au collège de la ville, Zola devient l'ami du futur peintre Paul Cézanne[1]. La mort de son père, en 1847, plonge sa famille dans de graves difficultés financières. En 1858, c'est le retour à Paris. Après deux échecs au baccalauréat, Zola abandonne ses études. S'ouvre alors pour lui une période de misère, hantée par deux désirs aussi puissants l'un que l'autre : se nourrir et écrire. En 1862 Zola entre, sur recommandation, chez l'éditeur Hachette. D'abord affecté au service des emballages et des expéditions, il est par la suite promu chef de publicité.

UN JOURNALISTE DE COMBAT

Parallèlement, Zola débute dans le journalisme[2]. Sous son propre nom et divers pseudonymes, il signe quantité d'articles dans tous les

---

1. Paul Cézanne (1839-1906) est un des peintres les plus importants du XIXe siècle. Zola l'a mis en scène dans son roman *L'Œuvre* (1886) sous les traits de Claude Lantier.
2. La loi de 1868 avait supprimé l'autorisation préalable à la parution des journaux. Du coup, ceux-ci se multiplièrent tant à Paris qu'en province.

grands journaux de l'époque, et ses prises de positions artistiques et politiques lui valent de rudes attaques.

En 1866, Zola quitte les éditions Hachette et accepte la fonction de « salonnier », c'est-à-dire de critique d'art, dans un journal. Le jury du Salon[1] de 1866 refuse de sélectionner deux tableaux de Manet[2]. Zola prend aussitôt la défense du peintre, dont il admire la technique et les coloris. Il s'en prend au jury, provoquant un vif scandale. Même si la postérité lui donnera raison, Zola, attaqué de toutes parts, doit renoncer à la critique d'art. Politiquement, Zola s'affirme comme un adversaire irréductible de Napoléon III. Jusqu'à la fin de sa vie, il ne cessera de dénoncer le coup d'État du 2 décembre 1851[3] et de s'opposer au régime du Second Empire.

Si le journalisme, qu'il n'abandonnera jamais, le met au centre de violentes polémiques, il lui permet de vivre de sa plume et de se faire un nom.

SUCCÈS ET SCANDALE DE *THÉRÈSE RAQUIN*

Zola a l'idée de *Thérèse Raquin* en lisant *La Vénus de Gordes* d'Adolphe Belot et Ernest Daudet, parue en feuilleton dans *Le Figaro* en 1866. C'est l'histoire d'un adultère, débouchant sur l'assassinat du mari. Jugés, les deux amants meurtriers sont condamnés au bagne, où la femme meurt de la fièvre jaune, au grand désespoir de son complice.

La lecture de ce roman passionne Zola, qui songe aussitôt à le réécrire à sa façon, en en modifiant certains aspects. Il veut, qu'au lieu d'être châtiés par la justice, les coupables trouvent leur « effroyable punition dans l'impunité même de [leur] crime »[4].

---

1. Le « Salon » est le nom donné aux expositions périodiques d'œuvres d'artistes vivants.
2. Édouard Manet (1832-1883), oriente la peinture vers le modernisme du xxe siècle. Manet est de nos jours un peintre unanimement reconnu.
3. Troisième fils de Louis Bonaparte, le frère de Napoléon Ier, Napoléon III (1808-1873) règne durant le Second Empire (1852-1870). D'abord élu président de la République en 1848, le futur Napoléon III instaure l'Empire par le coup d'État de 1851.
4. *Le Figaro*, 24 décembre 1866.

Sur ce canevas, Zola publie une nouvelle dans *Le Figaro* du 24 décembre 1866. Intitulée *Un mariage d'amour*, elle deviendra, enrichie et retravaillée, *Thérèse Raquin*. Le roman paraît d'abord en feuilleton dans *L'Artiste* puis est édité en volume en décembre 1867.

Les uns applaudissent, d'autres, plus nombreux, crient au scandale. Le réalisme des descriptions, l'importance accordée au corps, la volonté du romancier d'étudier le comportement de deux « brutes humaines » (préface, p. 24) lui valent d'être accusé de verser dans la pornographie et dans la « littérature putride[1] » (« Dossier », p. 320).

Mais le roman connaît un certain succès, et est réédité en 1868. Zola est désormais un romancier sulfureux mais reconnu.

LES ROUGON-MACQUART

À partir de 1870, Zola se consacre à la rédaction du cycle des *Rougon-Macquart*, dont il a conçu le projet en 1869.

Histoire naturelle et sociale d'une famille sous le Second Empire, comme le précise le sous-titre, ce cycle retrace sur trois générations la destinée des deux branches d'une seule et même famille : la branche, légitime, des Rougon ; et la branche, bâtarde, des Macquart. Vingt romans la composent, publiés au rythme d'un par an ou presque. Le premier, *La Fortune des Rougon*, paraît en 1871, et le dernier, *Le Docteur Pascal*, en 1893. *L'Assommoir* (1877), *Germinal* (1885), *La Bête humaine* (1890) comptent aujourd'hui parmi les œuvres plus célèbres du cycle des Rougon-Macquart.

LE CHEF DE FILE DU NATURALISME

Par ses écrits théoriques[2] et avec les *Rougon-Macquart*, Zola anime et illustre le courant naturaliste. Celui-ci se caractérise notamment par :
– une volonté de réalisme total. Aucun sujet, même le plus sordide, n'est tabou ;

---

1. Louis Ulbach, sous le pseudonyme de Ferragus, *Le Figaro*, 23 janvier 1868.
2. Zola a rassemblé ses écrits théoriques dans *Le Roman expérimental* (1880).

– une volonté d'étudier tous les milieux sociaux et, en particulier, les plus défavorisés. Avec Zola, le prolétariat ouvrier fait son entrée dans l'univers romanesque dont il était auparavant exclu (voir, par exemple, *Germinal*) ;

– une volonté d'analyser les réalités humaines et sociales d'un point de vue scientifique. À l'exemple du médecin Claude Bernard étudiant la biologie[1], Zola considère que le romancier doit faire œuvre scientifique. Aussi se propose-t-il d'observer sur ses personnages les effets de l'hérédité en fonction du milieu social dans lequel ceux-ci évoluent. Étant donné que les Rougon-Macquart portent originellement en eux des tares (névrose et alcoolisme), quelles influences cette hérédité aura-t-elle sur leurs descendants ?

Thérèse Raquin n'appartient pas à la fresque des *Rougon-Macquart*. Mais, ainsi qu'en témoigne la préface de la deuxième édition, Zola y applique déjà la plupart des principes qui deviendront ceux du naturalisme[2].

L'AFFAIRE DREYFUS

À peine la rédaction des *Rougon-Macquart* achevée, Zola se lance courageusement dans la défense du capitaine Alfred Dreyfus.

À l'origine, ce n'est qu'une banale affaire d'espionnage. Accusé de livrer à l'Allemagne des secrets concernant la Défense nationale, le capitaine Dreyfus est condamné le 22 décembre 1894 à la dégradation militaire et à la déportation à vie sur l'île du Diable, en Guyane. Soupçonnant une erreur judiciaire et un complot antisémite[3], Zola entreprend une vigoureuse campagne de presse en faveur de Dreyfus. Le 12 janvier 1898, il publie dans le quotidien *L'Aurore* un article retentissant : « J'accuse…! ». Il y dénonce les faiblesses de l'instruction judiciaire et accuse de forfaiture les plus hautes autorités militaires du pays.

---

1. Cf. p. 63 et suivantes.
2. Cf. p. 63 et suivantes.
3. Dreyfus était d'origine juive.

Inculpé pour outrage à l'armée, Zola, condamné à un an de prison ferme et à une forte amende, s'enfuit en Angleterre (1898). L'écrivain engagé a toutefois atteint son but : le débat public est lancé, et une partie de l'opinion se mobilise en faveur de Dreyfus. Celui-ci est jugé une seconde fois en août 1899. Contre toute logique, il est de nouveau condamné, mais avec circonstances atténuantes. Sa déportation à vie est commuée en une peine de dix ans de prison. Le 19 septembre 1899, le président de la République gracie Dreyfus. La Justice le réhabilite définitivement en 1906[1].

LES DERNIÈRES ANNÉES

Revenu en France en 1899, Zola consacre les dernières années de sa vie à la rédaction de ses « quatre Évangiles », dans lesquels il expose ses convictions philosophiques et politiques : *Fécondité* paraît en 1899 ; *Travail* en 1901.

Zola est alors un homme épuisé, qui paie cher son intervention en faveur de Dreyfus. Financièrement, son exil l'a appauvri. Socialement, il n'est pas et ne sera jamais élu à l'Académie française. Moralement, il est un des hommes les plus haïs de France.

Peut-être Zola a-t-il payé de sa vie son combat en faveur de la justice. Sa mort interrompt l'écriture de son troisième « Évangile »[2]. Le 29 septembre 1902, Zola est retrouvé, asphyxié, dans sa maison de Médan[3]. Accident ou crime déguisé ? La haine que les adversaires de Dreyfus vouent à Zola interdit d'exclure l'hypothèse d'un geste meurtrier et fanatique. Ses funérailles, le 5 octobre 1902, sont entourées d'une grande émotion populaire. Le peuple des humbles, qu'il a si bien décrit dans ses romans, vient en foule lui rendre un ultime hommage.

---

1. La publication des carnets, en 1930, de l'ambassadeur allemand en poste à Paris devait prouver définitivement l'innocence de Dreyfus.
2. Ce troisième « Évangile », intitulé *La Vérité* paraîtra de manière posthume en 1903.
3. Médan est une commune de l'actuel département des Yvelines. Zola y avait acheté une maison, où se réunissaient régulièrement les écrivains naturalistes.

Ses cendres sont transférées au Panthéon en 1908, pour avoir rédigé « J'accuse… ! », sauvé Dreyfus et combattu sans relâche pour le triomphe de la justice. Auteur d'une des plus grandes œuvres romanesques du XIXe siècle, Zola reste une des grandes figures de son époque.

2 | Les personnages

MADAME RAQUIN

Veuve et ancienne mercière à Vernon, elle vient s'établir à Paris pour plaire à son fils Camille. Mme Raquin est une mère possessive puis pathétique[1] après le décès de son fils, et enfin une justicière tragique.

Une mère possessive

Mme Raquin est d'autant plus attachée à son fils Camille qu'il est son unique enfant et qu'il fut longtemps malade. « Elle l'adorait pour l'avoir disputé à la mort pendant une longue jeunesse de souffrances » (p. 38). Mais à force de le veiller et de le protéger, elle l'a isolé et étouffé. Ainsi ne l'envoie-t-elle pas au collège, de crainte qu'il y soit mal traité (p. 38).

C'est dans la même intention maternelle et protectrice qu'elle arrange le mariage de Camille et de Thérèse. « […] elle tremblait lorsqu'elle venait à songer qu'elle mourrait un jour et qu'elle le laisserait seul et souffrant. Alors elle comptait sur Thérèse, elle se disait que la jeune fille serait une garde vigilante auprès de Camille » (p. 42).

À chaque fois, Mme Raquin agit en toute bonté. Elle est sincèrement convaincue de travailler au bonheur de son fils et ne s'aperçoit pas qu'elle fortifie en réalité l'égoïsme de Camille, qu'elle prépare son malheur. Comment Camille pourrait-il se conduire en adulte indépendant et autonome?

---

1. « Pathétique » : ce qui suscite une émotion douloureuse.

Une mère pathétique

La mort de Camille la rend doublement pathétique. Mme Raquin est d'abord submergée par le désespoir. Elle, qui ne vivait que pour son fils, perd avec celui-ci sa raison de vivre. Le malheur la transforme physiquement : « Les jambes de la pauvre vieille s'étaient alourdies. Il lui fallut une canne pour se traîner dans la salle à manger » (p. 133).

Pathétique, Mme Raquin l'est ensuite par son ignorance des véritables circonstances de la mort de Camille. Elle confie sa peine aux propres assassins de son fils ! Et comme ceux-ci feignent de pleurer la disparition de Camille, elle les prend en pitié, s'efforce de les réconforter et se résigne à accepter leur mariage. Elle lègue même à Thérèse « les quarante et quelques mille francs » qu'elle possédait (p. 178), pensant ainsi assurer l'avenir du jeune couple. Comment ne pas plaindre Mme Raquin ?

Une justicière tragique

Quand elle apprend la vérité sur la mort de son fils (p. 240), Mme Raquin veut dénoncer les assassins et les faire condamner. En ce sens, elle s'érige en justicière. Le tragique réside dans son incapacité à agir. Devenue muette et paralysée, ne pouvant ni écrire ni parler, elle est réduite à l'impuissance.

La scène la plus atroce est à cet égard celle où, avec une incroyable volonté, elle trace sur la toile cirée de la table les mots suivants : « Thérèse et Laurent ont... » (p. 249). Mais, elle ne peut achever la phrase. Grivet la traduit niaisement par : « Thérèse et Laurent ont bien pris soin de moi » (p. 250).

Les événements finiront toutefois par la satisfaire. Thérèse et Laurent se suicident. « Et, pendant près de douze heures jusqu'au lendemain vers midi, Mme Raquin, roide et muette, les contempla à ses pieds, ne pouvant se rassasier les yeux, les écrasant de regards lourds » (p. 301).

Le roman s'achève sur cette image de Mme Raquin, figée telle une statue de la justice, sa vengeance enfin consommée.

CAMILLE

Fils unique de Mme Raquin, Camille est un médiocre vivant, mais un mort redoutable.

Un médiocre vivant

L'existence de Camille se place tout entière sous le signe de la médiocrité et du dégoût qu'il suscite chez les autres.

Physiquement, il est « petit, chétif, d'allure languissante; les cheveux d'un blond fade, la barbe rare, le visage couvert de taches de rousseur ». À trente ans, il ressemble à « un enfant malade » (p. 35).

D'un faible niveau intellectuel, il n'écrit et ne compte qu'avec difficulté (p. 39). Professionnellement, il n'est, malgré ses ambitions, qu'un très modeste employé de la société des chemins de fer d'Orléans, et il est « tout fier d'être l'humble rouage d'une grosse machine » (p. 58). Camille est de surcroît un piètre mari, que Thérèse méprise profondément. Tout en lui la révulse et lui paraît ignoble.

Camille ne possède en définitive aucune qualité : égoïste, souffreteux, faible, stupide, il n'a rien pour attirer la sympathie du lecteur. Même sa mort est pitoyable. Quand Laurent le noie, il s'efforce un instant de résister, mais c'est « avec l'instinct d'une bête qui se défend » (p. 111). Jusqu'au bout, Camille ne réagit guère en être humain.

Un mort redoutable

Faible et lâche de son vivant, Camille acquiert, dès qu'il est mort, une redoutable puissance. Son souvenir ne cesse de hanter ses meurtriers, qui deviennent alors les victimes de leur propre victime.

Son invisible présence trouble d'abord les nuits de ses assassins. Son spectre « visite » Thérèse durant son sommeil (p. 159). Des cauchemars éveillent Laurent en sursaut (p. 155). La cicatrice de la blessure que Camille lui a infligée en se noyant ne cesse de le brûler.

Tel un « revenant » savourant sa vengeance, Camille empêche les amants criminels de goûter au bonheur qu'ils se promettaient. Quand Thérèse embrasse Laurent, elle sent et voit cette cicatrice, comme si Camille venait s'interposer entre eux (p. 188-191). Même mariés, ils ne connaissent pas la tranquillité, ne retrouvent pas la joie exaltée de l'époque où ils étaient amants : Camille « ressuscitait pour glacer leur couche. Thérèse n'était pas veuve, Laurent se trouvait être l'époux d'une femme qui avait déjà pour mari un noyé » (p. 207).

Épuisés par des nuits sans sommeil, par l'obligation, le jour, de surveiller leurs gestes et leurs paroles afin de ne pas se trahir, Thérèse et Laurent sont bientôt en proie au délire et à des hallucinations. Le chat François leur semble être une réincarnation de Camille. « Il faudra que je tue cette bête [pense Laurent]. Elle a l'air d'une personne » (p. 197). Les tableaux que Laurent peint reproduisent tout le portrait de Camille noyé (p. 230).

La haine finit par s'installer entre les époux. Chacun accuse l'autre d'être l'unique responsable du crime (p. 256), et en arrive à craindre d'être dénoncé par son complice. « Il fallait absolument que l'un d'eux disparût pour que l'autre goûtât quelque repos » (p. 294).

C'est la victoire posthume de Camille. Incapables d'assumer leur crime[1], Thérèse et Laurent se suicident (p. 301). Camille mort leur a résisté comme jamais il ne l'avait fait de son vivant.

LAURENT

Laurent est, avec Thérèse, l'un des deux personnages principaux du roman. Fils d'un paysan aisé, c'est une brute jouisseuse et égoïste, un amant et un assassin calculateur. Il apparaît comme un monstre froid, dont la folie précipitera la déchéance.

Une brute jouisseuse et égoïste

Laurent tient tout entier dans son physique : une « allure un peu lourde », des « mouvements lents et précis », « l'air tranquille et entêté » (p. 58) et surtout des « appétits sanguins » qui le vouent aux « jouissances faciles et durables » (p. 60). Son existence est commandée par « ce grand corps puissant [qui] ne demandait qu'à ne rien faire, qu'à se vautrer dans une oisiveté et un assouvissement de toutes les heures » (p. 60).

---

1. Cf. p. 50 à 54.

Il fait croire à son père, qui lui verse une pension, qu'il poursuit des études de droit. En réalité, la profession d'avocat ne l'intéresse pas plus que de reprendre un jour la ferme paternelle. Si, pour gagner sa vie, il devient employé de la société des Chemins de fer d'Orléans, c'est dans l'espoir que son père finira bien par mourir (p. 60) et qu'il héritera d'une fortune qui lui permettra de ne plus rien faire.

Il est donc défini par un égoïsme parasite et prédateur. Rien ne le rend sympathique, ou pitoyable comme Camille. C'est l'anti-héros absolu, dénué de rêve, de qualités, d'ambition.

▌Un amant et un assassin calculateur

La manière dont Laurent s'impose chez les Raquin et dont il devient l'amant de Thérèse ne témoigne pas davantage en sa faveur. Ce ne sont que calculs et mesquineries :

> « Pour lui, Thérèse, il est vrai, était laide, et il ne l'aimait pas ; mais, en somme, elle ne lui coûterait rien ; les femmes qu'il achetait à bas prix n'étaient, certes, ni plus belles ni plus aimées. L'économie lui conseillait déjà de prendre la femme de son ami. D'autre part, depuis longtemps il n'avait pas contenté ses appétits ; l'argent étant rare, il sevrait sa chair, et il ne voulait point laisser échapper l'occasion de la repaître un peu » (p. 68).

Il n'y a rien là de très sentimental, ni de très exaltant.

Certes, Laurent n'avait pas prévu que Thérèse le subjuguerait à un point tel qu'il ne pourrait plus se passer d'elle. Mais, même dans la passion, il n'oublie pas son confort, sa tranquillité, son plaisir. « Il était devenu l'amant de la femme, l'ami du mari, l'enfant gâté de la mère. Jamais il n'avait vécu dans un pareil assouvissement de ses appétits » (p. 82).

Aussi assassine-t-il Camille comme il aime Thérèse : par intérêt. C'est par confort, pour supprimer la gêne que lui occasionne Camille, qu'il élimine ce dernier. Il le fera lâchement : « Il lui fallait un crime sournois, accompli sans danger, une sorte d'étouffement sinistre, sans cris, sans terreur, une simple disparition » (p. 94).

Un monstre froid

Laurent se révèle monstrueux à toutes les étapes importantes de son existence.

Assassin, il n'éprouve jamais le moindre remords (p. 201). La certitude d'avoir commis un crime parfait lui procure au contraire une immense satisfaction (p. 115). Ami de la famille, il joue, auprès de Mme Raquin et des invités du jeudi soir, le rôle hypocrite de l'homme éploré (chap. XVI et XVII). Époux de Thérèse, il la bat de plus en plus violemment (chap. XXX) et lui extorque de l'argent pour cesser de travailler et s'adonner à la peinture (chap. XXV).

> « Au bout de quatre mois, Laurent songea à retirer les bénéfices qu'il s'était promis de son mariage. Il aurait abandonné sa femme et se serait enfui devant le spectre de Camille, trois jours après la noce, si son intérêt ne l'eût pas cloué dans la boutique du passage » (p. 223).

Craintif, Laurent envisage enfin d'assassiner sa complice de peur qu'elle ne parle (chap. XXXI). À aucun moment, il n'inspire d'autre sentiment que la répulsion et l'horreur.

La plongée dans la folie

Après avoir tué Camille, il subit un violent détraquement nerveux, typique d'un cas pathologique [1]. Ce « grand corps puissant » ne supporte pas la tension que lui imposent, en public, la nécessité de jouer la comédie de l'innocence et, en privé, son face à face avec Thérèse.

Incapable d'oublier Camille, qui lui a laissé au cou une terrible morsure, Laurent sombre progressivement dans la démence. De prudent, il devient peureux : le moindre bruit l'épouvante (chap. XVII). Sa confiance initiale en Thérèse se change en inquiétude ; son bonheur ancien en enfer (chap. XXIX). Ses hallucinations se multiplient.

Cette « brute » glisse vers une déchéance irrémédiable qui, à défaut de la racheter, la rend intéressante. L'assassin finit par se faire justice lui-même, écœuré par son passé, dégoûté par avance par l'avenir qu'il connaîtrait s'il continuait à vivre (p. 301).

---

1. « Pathologique » : anormalité due à un état maladif.

THÉRÈSE

Fille du frère de Mme Raquin[1] et d'une **Algérienne**, confiée dès son plus jeune âge par son père à Mme Raquin qui l'élève, Thérèse est un tempérament de feu, dont la nature fut longtemps étouffée[2]. Personnage central du roman, elle s'affirme comme une femme fatale, complexe et inquiétante.

Un tempérament de feu

Issue du vent et du soleil d'Algérie, Thérèse est le contraire de Camille. Son compagnon d'enfance et premier mari est un être anémié, mais Thérèse, elle, tressaille de vie et de force. Zola la place d'ailleurs constamment sous le signe du feu et de la lumière qui sont des symboles de vie : « Pendant des heures, elle restait accroupie devant le feu, pensive, regardant les flammes de face, sans baisser les paupières » (p. 40).

Son énergie et son ardeur éclatent à la moindre occasion. À Vernon, durant sa jeunesse, dans la maison au bord de l'eau, Thérèse fait corps avec la nature, rêve de la maîtriser : « [...] elle s'imaginait que l'eau allait se jeter sur elle et l'attaquer ; alors elle se roidissait, elle se préparait à la défense, elle se questionnait avec colère pour savoir comment elle pourrait vaincre les flots » (p. 41). Dans ses jeux avec Camille, elle l'emporte par sa vivacité et sa puissance (p. 42). Plus tard, dans les bras de Laurent, elle se révèle être une amoureuse ardente, frémissante, au grand étonnement de son amant (chap. VII).

Une nature étouffée

L'énergie de Thérèse a longtemps été étouffée, refoulée. En toute bonté, mais de façon catastrophique, Mme Raquin l'élève comme elle élève son fils, faisant ingurgiter aux deux enfants les mêmes tisanes, les mêmes médicaments. Aussi Thérèse a-t-elle l'existence

---

1. Il s'agit du capitaine Degans, personnage secondaire, auquel Zola ne consacre qu'un paragraphe (p. 39-40). Sa seule utilité dans l'intrigue romanesque est de justifier l'existence de Thérèse et de la faire venir d'« ailleurs ». L'Algérie était une colonie française depuis 1830.
2. Cf. lecture méthodique n° 2, p. 101.

repliée d'une convalescence. Elle « était d'une santé de fer, et elle fut soignée comme une enfant chétive, partageant les médicaments que prenait son cousin, tenue dans l'air chaud de la chambre occupée par le petit malade » (p. 40).

Étouffant dans la boutique du passage du Pont-Neuf qu'elle compare souvent à une tombe (p. 47), méprisant les invités du jeudi soir (chap. IV), Thérèse ne trouve pas dans son mariage avec Camille de quoi s'épanouir. « J'ai retrouvé, dira-t-elle à Laurent, dans mon mari le petit garçon souffrant avec lequel j'avais déjà couché à six ans. Il était aussi frêle, aussi plaintif, et il avait toujours cette odeur fade d'enfant malade qui me répugnait tant jadis » (p. 76).

Une femme fatale

L'incompatibilité radicale qui existe entre son tempérament de feu, ne demandant qu'à s'exprimer, et sa vie rabougrie, fait de Thérèse une femme fatale. Et ce à double titre : comme victime et comme agent de la fatalité.

Victime de la fatalité, Thérèse l'est de par son hérédité solaire et nerveuse contre laquelle elle ne peut rien. Elle l'est aussi par le jeu des circonstances, d'autant plus effrayant qu'il est banal. Son existence est dès l'origine toute tracée :

> « Les enfants [Thérèse et Camille] savaient depuis longtemps qu'ils devaient s'épouser un jour. Ils avaient grandi dans cette pensée qui leur était devenue ainsi familière et naturelle. On parlait de cette union, dans la famille, comme d'une chose nécessaire, fatale » (p. 42).

Sa rencontre avec Laurent ne constitue qu'en apparence un coup de théâtre imprévu. Toute énergie refoulée finit en effet par se libérer, avec d'autant plus de violence qu'elle a été longtemps réprimée. Ainsi, l'échec de son mariage avec Camille la pousse vers Laurent. « Elle n'avait jamais vu un homme », note le narrateur. « Laurent, grand, fort, à visage frais, l'étonnait » (p. 58). D'ailleurs les deux amants jugent très vite « leur liaison nécessaire, fatale, toute naturelle » (p. 71).

Mais Thérèse n'est pas uniquement passive. Elle se révèle aussi un moteur de l'intrigue. L'éclosion de son tempérament de feu subjugue Laurent, qui ne peut bientôt plus envisager de vivre sans elle : « Il aimait à la rage » (p. 88). C'est elle qui refuse de rompre quand Laurent ne peut plus s'absenter de son bureau pour aller la rejoindre. C'est encore elle qui avoue à Laurent : « Je désire te faire une existence heureuse » (p. 91), comme si elle était l'élément fort du couple adultère. C'est elle enfin qui, la première, envisage la disparition de Camille : « Il n'y a qu'un voyage dont on ne revient pas » (p. 90).

Une femme complexe et inquiétante

De tous les personnages du roman, Thérèse est la figure la mieux construite. Contrairement aux autres personnages, il est impossible de la réduire à un seul trait de caractère.

Son exceptionnelle maîtrise de soi, sa duplicité, sa capacité à offrir en public un visage impassible, sont étonnants. Plus elle gronde de révoltes et d'impatiences intérieures, moins elle les montre. Adolescente, « toute sa volonté tendait à faire de son être un instrument passif, d'une complaisance et d'une abnégation suprêmes » (p. 50). Maîtresse de Laurent, elle joue « à la perfection » (p. 82) le rôle de l'épouse sage, effacée. Complice de l'assassinat de Camille, elle se comporte en veuve digne et éplorée (chap. XIX). Une telle capacité de dédoublement fascine et inquiète en même temps.

Plus que Laurent, Thérèse est hantée par son geste criminel. Même si Zola hésite à user d'un vocabulaire moral[1], c'est celle qui commet le mal et cherche en vain à l'oublier. Thérèse se fuit dans la lecture de romans sentimentaux (p. 142).

Elle tente de trouver dans la débauche un dérivatif à ses angoisses et à ses remords (chap. XXXI). En des scènes pathétiques, elle implore le pardon de Mme Raquin, devenue muette (chap. XXIX). Son union avec Laurent se révélant infernale, elle envisage de l'assassiner. Ce mélange de monstruosité et d'horreur fait la profondeur et l'intérêt du personnage de Thérèse.

---

1. Le Naturalisme refuse en effet toute explication psychologique et morale du comportement des individus, sans toutefois pouvoir complètement s'en passer. Sur les limites de la doctrine naturaliste, cf. p. 68 et 69.

3 | Autopsie d'un crime

Thérèse Raquin est un roman d'assassins. L'intrigue est menée de leur point de vue, non de celui de la victime. Zola analyse minutieusement les circonstances qui conduisent Laurent et Thérèse à tuer, la manière dont ils accomplissent leur forfait et surtout ce qu'ils vivent après le meurtre.

LA PROGRESSION DRAMATIQUE :
COMMENT ON DEVIENT ASSASSIN

Tout crime pose la traditionnelle question du mobile : pourquoi tue-t-on ? Il soulève aussi celle de la prise de décision : comment naît l'idée de tuer dans l'esprit des futurs meurtriers ? Par quel processus se développe-t-elle et se fortifie-t-elle ?

Le mobile

Thérèse et Laurent s'accommodent de leur liaison clandestine, tant qu'ils peuvent régulièrement se retrouver à l'insu de tous. Laurent rejoint Thérèse aux heures où Camille travaille et où Mme Raquin tient la boutique. Pour ce faire, Laurent doit s'absenter de son bureau. Longtemps ses absences répétées sont tolérées jusqu'au jour où son chef de bureau le rappelle à l'ordre. Les deux amants ne peuvent plus se voir dans la journée et ne le peuvent pas davantage le soir, où Camille rentre chez lui. C'est à ce moment-là que Thérèse et Laurent prennent conscience que Camille les « gêne trop » (p. 90) et entrave leur bonheur. Ils le tueront pour être heureux, pour avoir « une bonne et douce vie » (p. 91). C'est le type même du crime passionnel.

Laurent possède un second mobile, qu'il se garde d'ailleurs bien d'avouer à Thérèse. Foncièrement paresseux, il rêve de ne plus travailler et de se faire entretenir. Or Mme Raquin est riche. Si Camille meurt, Thérèse devient son héritière. Laurent se voit « déjà oisif, mangeant et dormant » (p. 93), avec Thérèse tout à lui. L'amour de Thérèse le guide autant que l'amour de l'argent.

La naissance de l'idée meurtrière

L'idée de tuer Camille germe lentement (p. 93). Elle s'impose petit à petit, naît presque d'un mot d'esprit, et se développe jusqu'à devenir un plan.

Laurent parle d'abord de se « débarrasser » du mari encombrant en l'expédiant « en voyage quelque part bien loin » (p. 90). La suggestion est absurde. Comme le lui fait remarquer Thérèse, Camille est trop casanier pour quitter Paris. Et puis, d'un « voyage » on revient toujours. Sauf d'un, précise-t-elle soudain, en donnant au mot « voyage » un sens figuré, celui de la mort : « Il n'y a qu'un voyage dont on ne revient pas... » (p. 90). Thérèse n'envisage pas à cet instant l'assassinat de Camille, mais elle évoque déjà la disparition de son mari. Laurent explicite ce qui était implicite dans les propos de Thérèse : « Ah! si ton mari mourait... », lui dit-il sur le mode hypothétique. À son tour, Thérèse transforme l'hypothèse en suggestion : « Les gens meurent quelquefois, murmura-t-elle enfin. Seulement, c'est dangereux pour ceux qui survivent » (p. 91-92). Les mots « assassinat », « crime » ou « meurtre » ne sont pas prononcés, mais l'idée est bel et bien là.

Comme un assassinat ne va pas sans risque, Thérèse corrige aussitôt son propos : « Je pensais qu'il arrive des accidents tous les jours, que le pied peut glisser, qu'une tuile peut tomber... Tu comprends? Dans ce dernier cas, seul le vent est coupable » (p. 92).

À ce point de la conversation, ce n'est plus l'idée de tuer Camille qui arrête les deux amants, mais la manière de l'éliminer : comment l'assassiner sans se faire démasquer?

L'incitation inattendue au meurtre

Les amis que réunit Mme Raquin chaque jeudi soir apportent invo-
lontairement une réponse à la question des deux assassins en puissance. Parmi ces invités figurent en effet le commissaire de police en
retraite Michaud et son fils Olivier, « commis principal dans le bureau
de la police d'ordre et de sûreté » (p. 54). Tous deux évoquent leurs
souvenirs. L'un d'eux porte sur un crime commis à Vernon et resté
impuni. Michaud généralise le cas : « Que de crimes restent incon-
nus ! que d'assassins échappent à la justice des hommes ! » (p. 98).

Thérèse et Laurent, silencieux, se regardent et se comprennent.
Les assassins ne sont pas toujours démasqués par la police ! Pourquoi n'en irait-il pas de même pour eux ?

LE MEURTRE ET SA MISE EN SCÈNE

Une première tentative

Une promenade dominicale offre à Laurent l'occasion de se pré-
parer à passer à l'acte. Lors d'une halte dans une clairière près de
Saint-Ouen, Camille s'endort, « presque dans les jupons » (p. 105) de
Thérèse. De rage, Laurent lève le talon pour lui « écraser la face ». Le
mouvement est si brusque que Thérèse détourne la tête, « comme
pour éviter les éclaboussures du sang » (p. 105). Laurent se ravise.
Non en raison d'un quelconque remords ou scrupule moral, mais
parce que « ce serait là un assassinat d'imbécile ». Broyer la tête de
Camille lui mettrait « toute la police sur les bras » (p. 106). Comment
faire croire qu'il s'agit d'un accident ? Cette tentative d'assassinat
n'échoue qu'en apparence. Laurent vient de mimer le crime, comme
s'il s'était livré à une répétition.

La noyade

La promenade en barque sur la Seine se révèle plus propice à
l'exécution du projet criminel de Laurent. Avec un art consommé de
la mise en scène, celui-ci maquille le meurtre en accident : il dirige le
canot loin des regards ; le crépuscule tombe, diminuant la visibilité

(p. 110). Après la noyade de Camille, Laurent fait chavirer le canot. Qui se douterait qu'un assassinat vient d'être commis ?

Laurent manifeste en outre à l'arrivée des canotiers une douleur feinte mais parfaitement crédible. Il pleure, se tord les bras, s'arrache les cheveux. Il s'accuse même : « C'est ma faute, criait-il, je n'aurais pas dû laisser ce pauvre garçon danser et remuer comme il le faisait » (p. 113). Il suggère en fait que le drame est dû à l'imprudence de Camille. Laurent et Thérèse ne peuvent être suspectés. Leur crime est parfait.

UN ÉPISODE PATHÉTIQUE

Tout crime est horrible, mais celui que décrit Zola l'est particulièrement en raison du pathétique qui se dégage de l'épisode. Celui-ci naît de l'opposition entre la stupidité de la victime et la monstruosité des meurtriers.

La stupidité de la victime

Bien qu'il soit la victime, Camille ne suscite ni la sympathie ni la compassion du lecteur. Jusqu'au bout, Camille reste l'être falot et médiocre qu'il fut durant toute sa vie. Il a peur de l'eau : « Diable, dit-il, il ne va pas falloir remuer là-dedans [dans le canot]. On ferait un fameux plongeon » (p. 109). Quand il trempe ses mains dans le fleuve, il s'écrie : « Fichtre ! que c'est froid ! [...] Il ne ferait pas bon de piquer une tête dans ce bouillon-là » (p. 111).

Lorsque Thérèse hésite à embarquer dans le canot, il l'interprète comme une peur de l'eau, alors qu'en réalité Laurent vient de l'avertir discrètement de ses intentions criminelles (p. 110).

Prises dans le contexte, les réactions de Camille deviennent pitoyables. La peur de se noyer devient encore plus pathétique quand on sait qu'elle émane d'un futur noyé. Camille meurt misérablement, « avec l'instinct d'une bête qui se défend » (p. 111).

La monstruosité des meurtriers

Ses assassins sont tout aussi horribles, mais pour des raisons différentes. Laurent n'éprouve aucune hésitation, aucun remords. À peine vient-il de tuer qu'« une joie lourde et anxieuse [...] l'emplissait » (p. 115). On n'observe chez lui aucune réaction morale.

Quant à Thérèse, sa passivité est tout aussi choquante. Si elle tend « sa volonté de toutes ses forces », c'est pour ne pas pleurer et non pour empêcher Laurent d'agir (p. 109). Lorsqu'elle éclate enfin en sanglots, ce n'est pas par désespoir ou par honte, mais dans une crise de nerfs. Thérèse et Laurent n'ont aucun scrupule : ce sont bien les « brutes humaines » (préface p. 24) que Zola décrit dans la préface à la seconde édition de son roman.

Le meurtre de Camille apparaît en définitive déplorable et lamentable : il est à l'image même de ses instigateurs. La dernière phrase du chapitre XI le rend encore plus dérisoire : « Ce furent les canotiers qui mangèrent le dîner de Camille » (p. 114). Le malheureux est déjà oublié, sans autre oraison funèbre.

4 | Un vrai faux roman policier

Comme plusieurs romans de Zola, *Thérèse Raquin* relate l'histoire d'un crime[1]. Le lecteur en connaît les auteurs. La question n'est donc pas, pour le romancier, d'entretenir un suspens sur l'identité des meurtriers, mais de montrer ce qu'ils deviendront. Échapperont-ils à la justice ? Seront-ils châtiés ? Et de quelle façon ? En ce sens, *Thérèse Raquin* se rapproche de certains romans policiers qui soulèvent de semblables interrogations.

Mais le roman inverse les procédés du roman policier. Si les criminels échappent à la justice, ils n'échappent pas aux conséquences de leur acte et finissent par se suicider. Justice est rendue, sans que la justice s'en soit mêlée. *Thérèse Raquin* est pour ces raisons un vrai faux roman policier.

UN CRIME PARFAIT

Officiellement la noyade de Camille relève de l'accident par imprudence. Nul ne soupçonne qu'il s'agit d'un crime. L'enquête policière[2] est bâclée. Les assassins restent, dans ces conditions, impunis.

Une enquête policière bâclée

Parmi les invités que la famille Raquin reçoit chaque jeudi soir figurent le commissaire de police en retraite Michaud et son fils Olivier, « commis principal dans le bureau de la police d'ordre et de sûreté » (p. 54).

---

1. C'est par exemple le cas, dans *La Bête humaine* (1890) : Roubaud tue le président Grandmorin, parce qu'il a découvert que Séverine, sa femme, était la maîtresse de ce dernier.
2. À l'époque de Zola, comme de nos jours, toute mort sur la voie publique fait l'objet d'une enquête de police.

Par une ironie tragique[1], tous deux contribuent inconsciemment à accréditer la thèse de l'accident et, par voie de conséquence, à assurer l'impunité des meurtriers. Olivier fait en effet « connaître sa qualité d'employé supérieur de la Préfecture » (p. 119) à l'agent qui effectue les premières constatations. Comment celui-ci mettrait-il en doute la parole de cet « employé supérieur » ? Les investigations cessent presque aussitôt. « [...] tout fut terminé en dix minutes » (p. 119).

Michaud et son fils présentent même Laurent « comme le meilleur ami de la victime ». Ils veillent en outre à faire inscrire dans le procès-verbal que « le jeune homme s'était jeté à l'eau pour sauver Camille Raquin » (p. 119). Qui pourrait soupçonner le courageux sauveteur d'être un meurtrier ?

▌Des assassins impunis

Que ce soit juste après le meurtre ou durant le reste de leur existence, Thérèse et Laurent ne sont jamais inquiétés par la justice.

Ils vivent dans la peur d'être percés à jour, multiplient les précautions en feignant la tristesse, en espaçant leurs rencontres, en contrôlant leurs gestes et leurs paroles (chap. XVI). Mais ils ne courent vraiment de risque qu'une seule fois, lorsque Mme Raquin, qui a fini par découvrir la vérité, veut les dénoncer aux invités du jeudi soir. L'alerte est chaude : Laurent « crut que tout était perdu, il sentit sur son être la pesanteur et le froid du châtiment, en voyant cette main revivre pour révéler l'assassinat de Camille » (p. 248-249). Quant à Thérèse, elle « faillit crier d'angoisse » (p. 248). Mais la paralytique ne peut livrer son secret et les deux assassins sont saufs.

LE POIDS DU CRIME

La tension nerveuse, générée par le meurtre puis exacerbée par les précautions que prennent Thérèse et Laurent pour ne pas se

---

1. C'est ironique, car ce n'est évidemment pas le rôle de représentants de la police de disculper des assassins. Et c'est tragique, parce que le meurtre de Camille va rester officiellement impuni.

trahir, provoque chez eux un fort dérèglement physiologique. Progressivement chacun devient victime de ses nerfs, et finalement de son propre complice.

Des assassins victimes de leurs nerfs

Ni l'un ni l'autre ne sont capables d'assumer leur forfait.

Laurent a des « sueurs glacées » quand il songe qu'« on aurait pu découvrir son crime et le guillotiner »[1]. Il est en proie à des insomnies (chap. XVIII) et il éprouve de terribles épouvantes (p. 153). L'image du noyé le poursuit, le plongeant dans des cauchemars et des hallucinations. Rêve-t-il à l'époque heureuse où il rejoignait Thérèse par une porte dérobée ? « Au lieu de la jeune femme en jupon, la gorge nue, ce fut Camille qui lui ouvrit, Camille tel qu'il l'avait vu à la morgue, verdâtre, atrocement défiguré. Le cadavre lui tendait les bras, avec un rire ignoble » (p. 154).

Thérèse connaît, de son côté, « une crise nerveuse » qui « la rend comme folle » (p. 163). Passant d'une « rêverie vague », qui « la faisait rire ou pleurer sans motif » à des moments d'angoisse (p. 143), elle ne peut oublier le spectre de Camille (p. 159).

Eux qui ont tué pour vivre leur passion au grand jour, librement, ne trouvent pas dans leur mariage le bonheur espéré. Camille les sépare encore plus fortement que lorsqu'il était vivant. « Eux seuls savaient que le cadavre de Camille couchait entre eux » (p. 222).

Des complices qui se haïssent

Incapable de surmonter ses propres angoisses et de supporter celles de son compagnon, chacun des meurtriers finit par détester l'autre. « Ce fut une haine atroce, aux éclats terribles. Ils sentaient bien qu'ils se gênaient l'un l'autre ; ils se disaient qu'ils mèneraient une existence tranquille, s'ils n'étaient pas toujours là face à face » (p. 251).

---

1. La peine de mort existait encore à l'époque de Zola, et les exécutions étaient fréquentes.

Thérèse reproche à Laurent d'avoir tué Camille ; Laurent accuse Thérèse d'être seule responsable de la mort de Camille (p. 256). Thérèse en vient même à lui dire :

> « [...] je ne l'ai peut-être pas aimé de son vivant [Camille], mais maintenant je me souviens et je l'aime... Je l'aime et je te hais, vois-tu. Toi, tu es un assassin... » (p. 269).

Bientôt Thérèse trompe Laurent, qui en éprouve un lâche soulagement. Au moins, elle a une « occupation », pense-t-il (p. 287). Chaque soir, ce ne sont entre les époux que coups et cris (p. 293).

L'AUTO-CONDAMNATION

Un tel « état de guerre » (p. 294) ne peut s'éterniser. Les complices d'hier deviennent des ennemis irréductibles. Ils envisagent alors de se tuer l'un l'autre, d'effacer en quelque sorte le premier crime par un second. Mais étant trop sur leurs gardes pour s'éliminer, ils décident finalement de se suicider.

Tuer l'autre

De la haine à la méfiance, il n'y a qu'un pas. Et si l'autre allait tout dévoiler ! Ne pouvant vivre ensemble, Thérèse et Laurent ne peuvent non plus se séparer. « Quand l'un disait une parole, faisait un geste, l'autre s'imaginait qu'il avait le projet d'aller chez le commissaire de police » (p. 293). Aussi s'espionnent-ils en permanence, se rendant mutuellement encore plus insupportables.

Éliminer l'autre devient dans ces conditions le seul moyen de parvenir au repos et de retrouver quelque sérénité. Thérèse et Laurent en forment le projet presque simultanément. « Laurent décida qu'il tuerait Thérèse, parce que Thérèse le gênait. [...] Thérèse décida qu'elle tuerait Laurent, pour les mêmes raisons » (p. 294-295).

Seuls diffèrent les moyens. Laurent choisit d'empoisonner Thérèse ; celle-ci, de l'assassiner avec un « grand couteau de cuisine » (p. 296).

Du meurtre au suicide

Cet assassinat, conséquence mécanique de celui de Camille, n'a pourtant pas lieu. Au moment de l'accomplir, ils s'aperçoivent tous deux que l'autre veut le tuer. « Chacun d'eux resta glacé en retrouvant sa propre pensée chez son complice » (p. 300). Mais nerveusement épuisés, écœurés d'eux-mêmes, n'imaginant pas pouvoir supporter un tel enfer plus longtemps, ils aspirent à mourir. Aussi, se suicident-ils en s'empoisonnant (p. 301)[1].

Thérèse et Laurent meurent victimes de leur impunité. Si la justice n'a pu les poursuivre, ils sont tout de même châtiés, par la sanction qu'ils s'infligent. Comme dans un roman policier, le crime ne paie pas. Mais à la différence d'un roman policier, ce sont les criminels eux-mêmes qui se jugent et se condamnent.

---

1. Cf. lecture méthodique n° 6, p. 121.

5 | Un roman de la folie et de la névrose

Le vocabulaire de la folie est récurrent dans *Thérèse Raquin*. Les mots « folie », « hystérie », « névrose », « éréthisme »[1] reviennent fréquemment. Quelles formes revêt l'hystérie des assassins de Camille, et pourquoi en sont-ils victimes ? Quelles fonctions esthétiques[2] remplit leur névrose dans le roman ? Quels rapports Zola établit-il entre la folie et la création artistique ?

LES FORMES DE L'HYSTÉRIE

Thérèse, Laurent et, à un moindre degré, Camille sont médicalement des terrains propices à l'hystérie. Les tensions auxquelles ils sont soumis les précipitent dans la folie, dont les manifestations prennent, selon les nécessités de l'intrigue, des formes diverses.

Des terrains médicalement propices

À l'origine, aucun des personnages ne présente de dérèglements mentaux inquiétants. Tous possèdent cependant des faiblesses psychiques[3]. Les raisons varient selon les cas.

De sa constitution maladive, Camille conservera toute sa vie un « esprit inquiet » (p. 38-39), qui le rend peureux, égoïste et de plus en plus inapte à établir des relations humaines normales. Il vit dans un

---

1. « Hystérie » : ensemble de troubles nerveux, caractérisés par une exagération des modes d'expression.
« Névrose » : affection caractérisée par des angoisses, des peurs, des obsessions.
« Éréthisme » : état de très forte excitabilité.
2. « Esthétique » : qui concerne l'idée que chaque artiste se fait du beau et de l'art.
3. « Psychique » : qui concerne le fonctionnement de l'esprit.

état perpétuel d'« hébétement »[1]. Seul son décès prématuré l'empêche de devenir débile.

Thérèse tire de sa « nature nerveuse » une forte excitabilité, qui la prédispose à tous les excès. Bien avant de rencontrer Laurent, elle est déjà en proie à son imagination : « Parfois des hallucinations la prenaient, elle se croyait enfouie au fond d'un caveau » (p. 55 ; voir aussi p. 47). Son amant lui redonne le goût de vivre, mais elle éclate pourtant en « sanglots », elle connaît des « crises », de brusques « secousses » (p. 73), ce dernier mot étant, à l'époque de Zola, synonyme de tendance à l'hystérie.

Quant à Laurent, « tout semblait inconscient dans cette florissante nature de brute ; il obéissait à des instincts, il se laissait conduire par les volontés de son organisme » (p. 88). Tout le conduit à réagir en « bête humaine ».

Leurs troubles ne sont pas pour autant profonds. Cependant, lorsque surviennent des tensions et des chocs nerveux exceptionnels, ceux-ci conduiront les deux protagonistes à la folie.

La descente vers la folie

Ces chocs nerveux, Thérèse et Laurent les subissent, les créent et les entretiennent au point de perdre peu à peu la raison. Ils passent par quatre phases.

La première coïncide avec leur liaison ardente et tumultueuse. Laurent est littéralement « possédé » (p. 69) par Thérèse, comme on dit d'une force obscure et maléfique qu'elle « possède » quelqu'un. Malgré sa prudence paysanne, « il ne s'appartenait plus ; sa maîtresse [...] s'était glissée peu à peu dans chacune des fibres de son corps » (p. 88). Thérèse, quant à elle, est l'objet d'un dédoublement de personnalité : « immobile, paisible » en public, elle est « courtisane » avec Laurent.

La deuxième phase résulte de l'assassinat de Camille. Un double déséquilibre s'opère chez les meurtriers. Chez Laurent :

---

1. « Hébétement » : abrutissement.

> « Les nerfs se développèrent, l'emportèrent sur l'élément sanguin, et ce fait seul modifia sa nature. Il perdit son calme, sa lourdeur, il ne vécut plus une vie endormie. Un moment arriva où les nerfs et le sang se tiennent en équilibre ; ce fut là un moment de jouissance profonde, d'existence parfaite. Puis les nerfs dominèrent et il tomba dans les angoisses qui secouent les corps et les esprits détraqués » (p. 200-201).

Thérèse, elle, passe d'un extrême à l'autre : de la « rêverie vague » (p. 143) aux crises de nerfs, de la joie d'être délivrée de Camille aux remords de l'avoir tué, du désir à l'effroi.

Leur vie conjugale, que l'indestructible souvenir de Camille rend infernale, constitue la troisième étape de leur descente vers la folie. Chaque nuit est plus « cruelle » que la précédente :

> « Les meurtriers avaient voulu être deux, la nuit, pour se défendre contre le noyé et, par un étrange effet, depuis qu'ils se trouvaient ensemble, ils frissonnaient davantage. Ils s'exaspéraient, ils irritaient leurs nerfs, ils subissaient des crises atroces de souffrance et de terreur, en échangeant une simple parole, un simple regard » (p. 199).

Laurent entre dans « des colères aveugles » (p. 267). Thérèse plonge dans le désespoir et la culpabilisation (chap. XXIX).

La dernière phase est celle de leur suicide, qu'ils effectuent par dégoût d'eux-mêmes (chap. XXXII).

▌Les manifestations de l'hystérie

Leur hystérie prend trois formes particulières.

Que ce soit chacun de leur côté, quand ils vivent séparés après l'assassinat de Camille, ou ensemble après leur mariage, les deux assassins sont victimes d'hallucinations. Ni l'un ni l'autre ne peuvent se défendre contre le « spectre de Camille » (p. 159). Au fur et à mesure de la dégradation de leur santé mentale, le phénomène devient de plus en plus récurrent :

> « Tout à coup Laurent crut avoir une hallucination » (p. 194).
> « Personne n'aurait soupçonné, à les voir si tranquilles pendant le jour, que des hallucinations les torturaient chaque nuit » (p. 221).

Aux visions s'ajoutent des délires obsessionnels[1]. Parce que François, le chat de Camille, assistait aux ébats des amants (p. 80), Laurent finit par le haïr. Persuadé que « Camille est entré dans ce chat » (p. 197), il le tue en le fracassant contre un mur. Laurent « se disait que le chat, ainsi que Mme Raquin, connaissait le crime et le dénoncerait, si jamais il parlait un jour » (p. 282) !

Les deux amants éprouvent enfin de terribles angoisses. Enceinte, Thérèse, par exemple, « a vaguement peur d'accoucher d'un noyé » (p. 278). Aussi provoque-t-elle une fausse couche. Laurent cesse de peindre parce qu'il lui semble que sa main est celle de Camille (p. 232). Le champ lexical de l'épouvante, qui traduit ces différents états, est ainsi l'un des plus riches du roman.

LES FONCTIONS DE L'HYSTÉRIE

Le thème de la folie possède une triple fonction : il donne au roman la tonalité d'une étude et d'une recherche scientifiques ; il structure et organise le récit ; il ouvre l'œuvre sur le fantastique.

Un but scientifique

L'analyse de la folie des personnages s'inscrit dans la visée scientifique du naturalisme[2]. Zola expose ses intentions dans la préface de la deuxième édition du roman : « Dans *Thérèse Raquin*, j'ai voulu étudier des tempéraments et non des caractères. Là est le livre entier ». Son but, ajoute-t-il, « a été un but scientifique avant tout ». Lui-même compare son travail d'écrivain au « travail analytique que les chirurgiens font sur des cadavres » (préface, p. 24-25). Il faut reconnaître que Zola a bel et bien écrit un roman de la déchéance, tant morale que psychique.

Le vocabulaire, les comparaisons qu'il utilise sont par exemple empruntés au domaine médical. Mais, le romancier n'étant pas médecin de formation, les descriptions des symptômes demeurent parfois superficielles. Un véritable médecin hésiterait sans doute à

---

1. Cf. lecture méthodique n° 5, p. 116.
2. Cf. p. 63 et suivantes.

faire, par exemple, le diagnostic suivant : « Sans doute un phéno-mène étrange s'était accompli dans l'organisme du meurtrier de Camille. Il est difficile à l'analyse de pénétrer à de telles profondeurs » (p. 228-229). Il n'en demeure pas moins qu'en voulant se rattacher à la science, Zola enracine son œuvre dans le réel.

Une organisation narrative

Le glissement des personnages vers la folie constitue la trame dramatique du récit. Le roman s'organise en effet en trois grandes parties. La première conduit l'action jusqu'au meurtre de Camille (chap. XI) ; la deuxième, jusqu'au remariage de Thérèse avec Laurent (chap. XX) ; et la troisième, jusqu'au suicide des assassins (chap. XXXII). Chacune d'elles correspond aux phases de plus en plus délirantes de la névrose des personnages. Leur faiblesse psychique originelle explique leur rencontre et, au moins au début, leur entente physique :

> « À eux deux, la femme, nerveuse et hypocrite, l'homme, sanguin et vivant en brute, ils faisaient un couple puissamment lié » (p. 83).

Camille, le mari, ne peut dans ces conditions que les « gêner ». Par la suite, contrairement à leurs espérances, son assassinat ne fait que les plonger dans un dérèglement nerveux de plus en plus accentué. Leur mariage, loin de les apaiser, les rend encore plus malades :

> « Ils ne voulaient pas reconnaître tout haut que leur mariage était le châtiment fatal du meurtre ; ils se refusaient à entendre la voix intérieure qui leur criait la vérité [...]. Et pourtant, dans les crises d'emportement qui les secouaient [...], ils devinaient les fureurs de leur être égoïste [...] qui ne trouvait dans l'assassinat qu'une exis-tence désolée et intolérable » (p. 252).

Aussi ne peuvent-ils fuir et se fuir que dans la mort.

La folie est le fil conducteur et organisateur du récit. Elle fait aussi l'intérêt majeur du roman : deux assassins se punissent d'avoir com-mis le crime parfait[1].

---

1. Cf. p. 51 à 53.

La création d'un climat fantastique

Les diverses manifestations de l'hystérie des personnages confèrent à l'œuvre un aspect fantastique et, par là même, angoissant. Camille devient plus présent dans la mort que lorsqu'il était vivant. Il hante les souvenirs et les nuits de ses assassins, et semble physiquement incarné par le chat François ou par la terrible morsure qu'il a laissée sur le cou de Laurent.

Durant sa nuit de noces [1], Laurent voit « Camille dans un coin plein d'ombre, entre la cheminée et l'armoire à glace. La face de sa victime était verdâtre et convulsionnée, telle qu'il l'avait aperçue sur une dalle de la Morgue » (p. 194). Allongés « sous le même drap », les deux époux croient « sentir le corps humide de leur victime, couché au milieu du lit, qui leur glaçait la chair » (p. 205). Thérèse tente-t-elle d'embrasser Laurent ? Ses lèvres effleurent « la morsure de Camille sur le cou gonflé et raidi de Laurent » (p. 210).

Ces hallucinations tirent ainsi le roman vers un imaginaire de l'horreur qui va en progressant tout au long de l'intrigue. Laurent, pour délivrer Thérèse de ses cauchemars, lui propose même de profaner la tombe de Camille : « Nous ouvrirons la bière de Camille, et tu verras quel tas de pourriture ! Alors tu n'auras plus peur, peut-être… » (p. 206). *Thérèse Raquin* est un roman de la folie.

LA FOLIE ET L'ART

De la folie au génie, il n'y a parfois qu'un pas que l'œuvre romanesque franchit. Tant qu'il reste encore maître de lui et qu'il conserve un comportement ordinaire, Laurent est un peintre raté. Dès qu'il sombre dans la folie, il devient un peintre maudit et prometteur.

Un peintre raté

Laurent s'est essayé durant sa jeunesse à la peinture. Mais, il fait l'erreur de penser que le métier de peintre est aisé : « Il s'était jeté

---

1. Cf. lecture méthodique n° 4, p. 111.

dans l'art, espérant y trouver un métier de paresseux ; le pinceau lui semblait un instrument léger à manier ; puis il croyait le succès facile » (p. 60). Incapable d'expression personnelle, Laurent se contente de copier le réel sans en saisir la densité, la force, la saveur ou l'originalité. Il manque de « tempérament »[1] : « [...] son œil de paysan voyait gauchement et salement la nature ; ses toiles, boueuses, mal bâties, grimaçantes, défiaient toute critique » (p. 61).

La peinture lui fournit un prétexte pour revenir chez Thérèse et Camille, dont il se propose de faire le portrait. Le résultat est horrible, mais prémonitoire :

> « Laurent ne pouvait employer les couleurs les plus éclatantes sans les rendre ternes et boueuses ; il avait, malgré lui, exagéré les teintes blafardes de son modèle, et le visage de Camille ressemblait à la face verdâtre d'un noyé » (p. 69).

Laurent incarne, à ce moment de l'action, le contraire même de l'artiste : paresseux, il n'est pas capable de souffrir pour exprimer le plus profond de lui-même, il contemple ce qui l'entoure comme un photographe sans imagination.

▌Le peintre maudit mais prometteur

La folie développe en Laurent un véritable sens artistique. Zola en fournit une explication peu convaincante sur le plan scientifique : « [...] depuis qu'il avait tué, sa chair s'était comme allégée, son cerveau éperdu lui semblait immense, et, dans ce brusque agrandissement de sa pensée, il voyait passer des créatures exquises, des rêveries de poète » (p. 229). Mais le lien entre l'art et la folie qui permet de voir le monde autrement, de libérer des forces obscures, est clairement souligné. La peinture n'est plus une reproduction du réel, mais l'expression d'une subjectivité. « On eût dit de la peinture vécue » (p. 228). Et en effet, Laurent peint Camille dans toutes les ébauches qu'il entreprend. Sa peinture devient le reflet de ses obsessions. « On eût dit Camille grimé en vieillard, en jeune fille, prenant le

---

1. « Tempérament » : personnalité.

déguisement qu'il plaisait au peintre de lui donner, mais gardant toujours le caractère général de sa physionomie » (p. 230).

L'art s'abreuvant aux sources de la folie n'est pas un thème nouveau à l'époque de Zola. Balzac l'avait déjà traité dans *Le Chef-d'œuvre inconnu*[1], ainsi qu'Edgar Poe dans *Le Portrait ovale*[2]. Zola reprendra lui-même ce thème dans *L'Œuvre*[3]. Bien avant Freud, le fondateur de la psychanalyse[4], il établit donc un rapport entre le génie et la névrose. *Thérèse Raquin* insiste ainsi sur la part maudite que recèle tout grand artiste.

---

1. Dans *Le Chef-d'œuvre inconnu* que Balzac (1799-1850) publie en 1831, le peintre Frenhofer, un génie incompris, meurt après avoir brûlé ses tableaux.
2. E. Poe (1809-1849) imagine dans *Le Portrait ovale* (1845) un peintre fou mais de grand talent.
3. Claude Lantier, le personnage principal de *L'Œuvre* (1886), crée son plus beau tableau en peignant son enfant mort. La souffrance, l'incompréhension générale et la folie le poussent à se pendre.
4. Sigmund Freud (1856-1939) considère que les valeurs culturelles et les créations artistiques sont l'expression sublimée (transposées sur un plan supérieur) des pulsions réprimées par la société.

6 | Vers le naturalisme

Dans la préface à la seconde édition de son roman, Zola déclare appartenir à un « groupe d'écrivains naturalistes », et présente *Thérèse Raquin* comme une première illustration de ce que doit être le naturalisme en littérature.

« Naturalisme » n'est pas alors un terme nouveau que Zola aurait inventé. Il existait déjà au XVIe siècle où il était synonyme d'« athéisme » ou d'« épicurisme »[1]. Au XVIIe siècle, il désignait en biologie les « sciences naturelles »[2]. Au XVIIIe siècle, il était l'équivalent de « matérialisme »[3]. Le mot appartenait aussi au vocabulaire des beaux-arts[4]. Quand Zola l'emploie à propos de *Thérèse Raquin*, il lui donne toutefois un sens particulier. Le naturalisme, appliqué au domaine de la littérature, propose une nouvelle conception du roman.

LE NATURALISME DE *THÉRÈSE RAQUIN*

Thérèse Raquin est une œuvre naturaliste car elle constitue une étude scientifique, expérimentale et précise du réel.

---

1. Forgé sur le nom d'Épicure, philosophe grec du IVe siècle avant notre ère, l'épicurisme véhicule une conception scientifique du monde selon laquelle seule prime la matière dont est composée la « nature ». Elle exclut toute hypothèse religieuse. C'est pourquoi l'épicurisme était considéré comme une forme de l'athéisme.
2. Auteur d'une *Histoire naturelle générale et particulière* qui étudie l'évolution du monde vivant, Buffon fut classé parmi les « naturalistes » de son temps. Zola le cite dans *Thérèse Raquin*, p. 50.
3. « Matérialisme » : doctrine philosophique et scientifique qui considère que tout, même la vie de l'esprit, est le produit de la matière, des atomes et des cellules nerveuses.
4. « Beaux-arts » : la sculpture, la peinture. Le naturalisme consiste alors à être le plus vrai possible, le plus fidèle possible à la réalité.

Une étude scientifique

La naturalisme a puisé son inspiration dans l'évolution scientifique de la seconde moitié du XIXᵉ siècle. Les progrès de la science et notamment de la médecine modifient l'idée que l'on se fait de l'homme : celui-ci n'est plus perçu comme un « pur esprit », obéissant à sa seule raison ou à ses sentiments[1]. Il possède un corps dont la bonne ou mauvaise santé commande son comportement. Il naît et évolue dans un milieu social qui façonne ses réactions. Bref, l'homme est le produit de la biologie et de la société. Zola assigne au roman la tâche d'analyser ce déterminisme fondamental.

De fait, *Thérèse Raquin* renferme en permanence des références scientifiques. Les personnages principaux obéissent à leur corps. La misérable existence de Camille s'explique par sa fragilité maladive (chap. II). Laurent est d'un tempérament sanguin[2], justifiant son appétit de jouissances (chap. V). Thérèse est d'une nature nerveuse, émotive, tenant du soleil d'Algérie où elle est née une énergie farouche (chap. II).

Zola évoque constamment le corps de ses personnages, leurs nerfs, leur constitution physique. De Thérèse par exemple, il écrit :

> « Depuis l'âge de dix ans, cette femme était troublée par des désordres nerveux, dus en partie à la façon dont elle grandissait dans l'air tiède et nauséabond de la chambre où râlait le petit Camille » (p. 202).

Une étude expérimentale

Le romancier naturaliste se comporte en savant, se livrant à des expériences comme on en mènerait dans un laboratoire. « Qu'on lise, écrit Zola, le roman avec soin, on verra que chaque personnage est l'étude d'un cas curieux de physiologie » (préface, p. 24).

---

1. Le XIXᵉ siècle est le siècle du positivisme représenté par Auguste Comte (1798-1857) qui considère que seules comptent l'analyse et l'observation des faits ; c'est aussi l'époque du développement de la médecine et de la biologie grâce notamment à Claude Bernard (1813-1878).
2. Le tempérament désigne ici l'ensemble des traits innés d'un individu, qui déterminent son comportement.

Que se produit-il quand une « nature sanguine » s'unit à une « nature nerveuse » (préface, p. 24) ? Voilà la question que se pose Zola et qu'il tente de résoudre dans *Thérèse Raquin*. Laurent se laisse dominer par la sensualité de Thérèse, par « cette amante dont les baisers lui donnaient la fièvre » (p. 73). Thérèse est subjuguée par Laurent dont la « voix pleine », les « rires gras », les « senteurs âcres et puissantes » la jettent dans « une sorte d'angoisse nerveuse » (p. 63).

Ni l'un ni l'autre ne sont prédestinés à tuer. S'ils ne s'étaient pas rencontrés, sans doute auraient-ils mené chacun de leur côté une existence fade et tranquille. Le crime découle logiquement de leurs besoins physiques : puisque qu'ils ne peuvent se passer l'un de l'autre, Camille les gêne et la seule solution est le meurtre...

Une étude précise du réel

L'expérimentation scientifique n'a de sens et de valeur que si elle s'appuie sur le réel, sur ce que Zola appelle les « documents humains »[1].

Dans *Thérèse Raquin*, les descriptions sont d'une précision absolue. Le passage du Pont-Neuf, où se déroule l'essentiel de l'intrigue, est dépeint avec minutie : sur le côté gauche, sur le côté droit, le soir, le jour, selon les saisons, et il est même fait mention de ses dimensions. Il s'agit d'un véritable relevé, issu d'une enquête sur le terrain[2] (chap. I).

La description de la Morgue de Paris où Laurent reconnaît le cadavre de Camille est d'un réalisme atroce :

> « Lorsqu'il entrait, une odeur fade, une odeur de chair lavée l'écœurait, et des souffles froids couraient sur sa peau ; l'humidité des murs semblait alourdir ses vêtements qui devenaient plus pesants à ses épaules. Il allait droit au vitrage qui séparait les spectateurs des cadavres » (p. 124).

Dans tous les domaines, il convient d'être « vrai », qu'il s'agisse du salaire de Laurent ou de Camille (p. 49), du prix d'achat de la

---

1. L'expression est de Zola (*Le Bien public* du 30 octobre 1876).
2. Cf. lecture méthodique n° 1, p. 96

boutique (p. 46), des articles que vend la mercerie (p. 33-34), de la paralysie progressive de Mme Raquin (p. 233).

UN ROMAN NOUVEAU

Parce qu'il répond aux exigences naturalistes, *Thérèse Raquin* est (pour l'époque) un roman nouveau, qui rompt avec une longue tradition littéraire. Une doctrine se définit en effet autant par ce qu'elle condamne que par les objectifs qu'elle affiche. Or *Thérèse Raquin* marque à cet égard un triple refus : celui des « beaux sujets », de la psychologie et de l'imagination.

Le refus des « beaux sujets »

Le sujet de *Thérèse Raquin* est d'une extrême banalité. C'est l'histoire d'un crime passionnel[1], presque ordinaire. Les personnages sont tous des anti-héros : ils ne possèdent aucune qualité extraordinaire, ne vivent aucune grande aventure. Ils sont semblables au commun des mortels.

Zola privilégie en outre les descriptions sordides. Le passage du Pont-Neuf n'est pas un lieu de promenade à la mode. On l'emprunte pour « éviter un détour » (p. 32). La boutique des Raquin est un « taudis » (p. 48). Les visites de Laurent à la Morgue sont horribles (chap. XIII).

Ce refus des « beaux sujets » obéit à une double intention. Tout comme Flaubert avec *Mme Bovary* (1857) ou comme Baudelaire composant le poème *La Charogne*[2], Zola veut montrer que les qualités artistiques d'une œuvre ne dépendent pas de son contenu, mais de la manière dont elle est écrite et composée. Trop longtemps, au cours des siècles précédents, on avait considéré qu'un « beau sujet » faisait nécessairement une belle œuvre.

Pour Zola, les choses les plus courantes sont les plus intéressantes à étudier. « Personne ne s'était avisé d'analyser l'air, parce que l'air était banal ; Gay-Lussac[3] l'analysa et fonda la chimie

---

1. Cf. p. 45.
2. Un des poèmes des *Fleurs du Mal* (1857).
3. Physicien français, Gay-Lussac (1778-1850) fut l'un des premiers savants à s'intéresser à la composition de l'air et à étudier les mélanges de l'oxygène et de l'hydrogène.

moderne », écrit-il dans *Le Roman expérimental*[1]. Ainsi, la banalité (d'une histoire, d'un lieu, d'un personnage) n'est pas un défaut. C'est au contraire l'expression du réel, et il convient donc de l'analyser.

▌Le refus de la psychologie et de la morale

Les grands romans du XVII\ siècle, tels que *La Princesse de Clèves*[2], ou du XVIII\ siècle, comme *La Nouvelle Héloïse*[3], sont des romans dits d'analyse. Les sentiments, les mouvements du cœur et de l'esprit y sont décrits avec minutie. Tout se passe comme si les personnages n'étaient guidés que par leur vie intérieure.

Ceux de *Thérèse Raquin* ne se déterminent pas par rapport à des valeurs morales et sociales. Ce sont des « brutes humaines » dominées par leur instinct. La liaison amoureuse de Thérèse et de Laurent est purement physique, jamais idéalisée. La sexualité y est envisagée de manière sauvage. Lors de leur première étreinte, les deux amants « n'échangèrent pas une seule parole. L'acte fut silencieux et brutal » (p. 69). On est loin d'un roman d'amour !

Tuer Camille ne leur pose aucun problème moral. Ils n'éprouvent même pas de remords. Le lendemain de son crime, Laurent s'éveille « frais et dispos » (p. 123) sans « le moindre regret d'avoir tué Camille » (p. 201). Thérèse, de son côté, n'avait jamais eu « l'esprit si calme » (p. 141).

▌Le refus de l'imagination

« L'imagination n'est plus la qualité maîtresse du romancier », affirme Zola dans *Le Roman expérimental*[4]. La qualité du roman ne dépend donc ni de l'ingéniosité ni de la capacité d'invention de son auteur.

Zola oppose à l'imagination le sens de l'observation. « J'ai simplement fait sur deux corps vivants le travail analytique que les chirurgiens font sur des cadavres » (préface, p. 25). De fait, Zola fait

---

1. p. 256 (Édition Garnier-Flamarion, 1971).
2. Roman de Mme de La Fayette qui paraît en 1678.
3. Roman épistolaire de Jean-Jacques Rousseau paru en 1762.
4. p. 228 (Édition Garnier-Flamarion, 1971).

preuve d'un grand sens de la logique et de la déduction. Il établit un postulat : soient deux « brutes humaines ». Le meurtre qu'elles commettent résulte de leur adultère. Leur tension nerveuse est telle qu'elle détraque leur organisme. L'idée de s'entretuer est elle-même une conséquence de leur premier crime (p. 294). L'intrigue est linéaire : les événements découlent inéluctablement les uns des autres.

LES LIMITES DE LA POSITION DE ZOLA

Toute doctrine coïncide rarement avec sa mise en pratique. Toute œuvre est rarement l'illustration parfaite d'une théorie. Il en est de même pour *Thérèse Raquin*. Son ambition « naturaliste » se heurte vite à deux obstacles.

Une dimension malgré tout morale

Quoi qu'en dise Zola, ses personnages éprouvent une certaine forme de remords. Certes, le romancier répugne à employer le mot ; et lorsqu'il l'utilise, il précise que les remords de ses personnages sont purement « physiques » (p. 201). Mais qu'est-ce qu'un remords « physique » ? Ne peut-on considérer leur détraquement nerveux comme la résultante d'une mauvaise conscience ?

Thérèse et Laurent décident en outre de se suicider par dégoût de leur existence :

> « Ils pleurèrent, sans parler, songeant à la vie de boue qu'ils avaient menée et qu'ils mèneraient encore, s'ils étaient assez lâches pour vivre. Alors, au souvenir du passé, ils se sentirent tellement écœurés d'eux-mêmes, qu'ils éprouvèrent un besoin immense de repos, de néant » (p. 301).

Les mots clés de ces deux phrases (« une vie de boue », « lâches », « écœurés », « repos ») appartiennent au vocabulaire moral.

Le roman obéit enfin à une intention moralisatrice. Thérèse et Laurent commettent certes un crime parfait. Mais s'ils ne sont pas punis, pour cette raison, par la justice, ils se punissent eux-mêmes. Leur suicide consacre le triomphe indirect de la justice.

Une dimension parfois fantastique[1]

Zola s'appuie sur le réel mais il aime lui donner une dimension fantastique, qui oriente le roman vers des zones où l'imaginaire peut se déployer. Les deux assassins luttent contre le fantôme de leur victime : « [...] à plus de dix reprises, il [Laurent] vit le noyé s'offrir à son embrassement, lorsqu'il étendait les bras pour saisir et étreindre sa maîtresse » (p. 155). C'est pour lui, une « suite de cauchemars » (p. 156). Thérèse s'enferme « jusqu'au matin dans cette grande pièce, qui s'éclairait de lueurs étranges et se peuplait de fantômes, dès que la lumière était éteinte » (p. 161).

Par certains de ses aspects, *Thérèse Raquin* appartient à la tradition des romans noirs (il épouvante ou saisit d'horreur). Les visites de Laurent à la morgue (chap. XIII), la folie dans laquelle il sombre progressivement (chap. XXV), la position des deux cadavres qui « restèrent toute la nuit sur le carreau de la salle à manger, [...] éclairés de lueurs jaunâtres » (p. 301), sont autant d'éléments qui donnent une dimension expressionniste au roman.

---

1. Cf. lecture méthodique n° 4, p. 112 et 113.

7 | Le narrateur et le récit

Il n'y a pas de narration sans narrateur. Comment se présente-t-il? Quels rapports, avoués ou non, entretient-il avec son récit? Quels points de vue adopte-t-il pour le mener à son terme? Quelle est la part de la narration pure et des dialogues? L'étude du récit a pour but d'analyser les particularités du genre narratif et de répondre aux questions fondamentales que soulève ce type d'énoncés.

LA PRÉSENCE DU NARRATEUR

Face à son récit, le narrateur a le choix entre deux attitudes possibles : s'effacer pour donner l'illusion de l'objectivité, comme si le récit se déroulait de lui-même; ou intervenir avec plus ou moins de discrétion dans sa narration.

L'effacement du narrateur

Dans *Thérèse Raquin*, le narrateur n'est pas textuellement désigné. Jamais un « je » n'assume ni ne revendique la production globale du texte écrit. Feignant d'être extérieur à la fiction, le narrateur raconte l'histoire à la troisième personne[1].

Le procédé est loin d'être nouveau à l'époque de Zola. Flaubert, Stendhal, Balzac l'utilisent également, et, avant eux, de nombreux romanciers des siècles précédents. Il offre en effet l'avantage de conférer à la narration une apparence de vérité et d'authenticité. Quel lecteur songerait par exemple à douter de la véracité de la phrase suivante : « Il y a quelques années, en face de cette marchande, se

---

1. Quand un narrateur reste extérieur à sa narration, on le qualifie de narrateur hétéro-diégétique.

trouvait une boutique dont les boiseries d'un vert bouteille suaient l'humidité par toutes leurs fentes » (p. 33)?

Or il est bien évident que l'existence même de la mercerie de Mme Raquin tout comme son implantation dans le passage du Pont-Neuf relève de l'invention la plus complète. Mais le lecteur qui ne s'interroge pas sur les conditions de l'énonciation ne s'en aperçoit pas. Il lit le roman comme si tout était vrai.

Prenons encore le cas de la dernière phrase du livre :

> « Et, pendant près de douze heures, jusqu'au lendemain midi, Mme Raquin, roide et muette, les contempla [Thérèse et Laurent] à ses pieds, ne pouvant se rassasier les yeux, les écrasant de regards lourds » (p. 301).

Mme Raquin, personnage imaginaire, paralysée et ne pouvant plus écrire, n'a assurément pas apporté là son témoignage. Le narrateur se dissimule derrière elle.

Cette volonté de vérité s'inscrit parfaitement dans le projet naturaliste : décrire le réel tel qu'il est et l'expliquer[1]. Il y a adéquation entre les buts poursuivis et la technique narrative.

Les interventions discrètes du narrateur

Si dissimulé soit-il, le narrateur ne peut toutefois faire oublier sa présence à un lecteur attentif. Celle-ci se manifeste de trois façons.

Il s'agit d'abord des commentaires explicatifs que comporte le récit. Par exemple : « Mme Raquin retrouva à Paris un de ses vieux amis, le commissaire de police Michaud, qui avait exercé à Vernon pendant vingt ans, logé dans la même maison que la mercière » (p. 53). Si le récit n'était pas une pure fiction, les informations que renferme cette phrase n'auraient pas lieu d'être. Elles ne prennent sens que pour le lecteur, que le narrateur renseigne ainsi au passage. Mais son intervention reste fort discrète, dans la mesure où elle se fond dans la fiction.

Parfois l'intervention est plus sensible parce qu'elle instaure une certaine distance entre le narrateur et sa narration, comme s'il

---

1. Cf. p. 63 à 66.

réagissait lui-même à son propre texte. C'est presque toujours le cas quand il s'agit d'observations qui se veulent médicales et scientifiques :

> « La nature sèche et nerveuse de Thérèse avait agi d'une façon bizarre sur la nature épaisse et sanguine de Laurent » (p. 199).
> « Cette communauté, cette pénétration mutuelle est un fait de psychologie et de physiologie qui a souvent lieu chez les êtres que de grandes secousses heurtent violemment l'un à l'autre » (p. 159-160).

Il arrive même que le narrateur extrapole à partir de son récit, comme si celui-ci lui donnait des idées pour un autre livre :

> « Il serait curieux d'étudier les changements qui se produisent parfois dans certains organismes, à la suite de circonstances déterminées. Ces changements, qui partent de la chair, ne tardent pas à se communiquer au cerveau, à tout l'individu » (p. 200).

La présence du narrateur se fait subtile quand elle devient un jugement ironique sur l'un des personnages du roman : « Olivier prétendait d'ordinaire, par une plaisanterie d'homme de police, que la salle à manger sentait l'honnête homme. Grivet, pour ne pas rester en arrière, l'avait appelé le Temple de la Paix » (p. 298)[1].

Le « tempérament » du narrateur

Les interventions du narrateur, si discrètes soient-elles, peuvent sembler en contradiction avec une volonté affichée d'objectivité et de vérité. Mais Zola n'a jamais prétendu que le romancier naturaliste se devait d'être un observateur ou un narrateur froid, voué à donner une image stérile du réel. L'œuvre d'art est « un coin de la nature vu à travers un tempérament » disait-il en 1864. Quinze ans plus tard, il précisait : « Les écrivains naturalistes sont ceux dont la méthode d'étude serre la nature et l'humanité de plus près possible, tout en laissant bien entendu le tempérament particulier libre de se manifester comme bon lui semble »[2]. Même dans l'écriture naturaliste, la subjectivité n'est donc pas exclue.

---

1. Cf. p. 91.
2. « Le naturalisme au théâtre », article reproduit dans *Le Roman expérimental* (éd. citée, p. 170).

LE POINT DE VUE

Toute narration implique un point de vue à partir duquel le récit est considéré. On parle alors de focalisation. Il existe trois procédés : la focalisation zéro (ou le point de vue omniscient); la focalisation externe; la focalisation interne.

La focalisation zéro

Elle correspond au cas où le narrateur en sait manifestement plus que les personnages. Cette technique permet d'accéder à leurs pensées et réactions les plus intimes. Le narrateur adopte un point de vue omniscient : il sait tout, il voit tout, comme s'il était Dieu.

Zola recourt largement à la focalisation zéro. Il analyse ainsi les sentiments les plus secrets de Mme Raquin. La malheureuse étant devenue muette, on ne devrait pas en principe les connaître. Mais ils ne constituent pas un mystère indéchiffrable pour le narrateur : « L'impossibilité où elle était de crier et de se boucher les oreilles l'emplissait d'un tourment inexprimable. [...] Elle crut un instant que les meurtriers lui infligeraient ce genre de supplice par une pensée diabolique de cruauté » (p. 263-264).

L'évolution de Thérèse et de Laurent est également retracée de l'intérieur :

> « Lorsque Laurent parlait des roses ou du feu, d'une chose ou d'une autre, Thérèse entendait parfaitement qu'il lui rappelait la lutte dans la barque, la chute sourde de Camille; et, lorsque Thérèse répondait un oui ou un non à une question insignifiante, Laurent comprenait qu'elle disait se souvenir ou ne pas se souvenir d'un détail du crime. Ils causaient ainsi, à cœur ouvert, sans avoir besoin de mots, parlant d'autre chose » (p. 190).

Cette technique est l'instrument privilégié de l'investigation psychologique. Sachant tout, comprenant les causes et les conséquences du moindre événement, le lecteur éprouve la satisfaction de la maîtrise intellectuelle.

La focalisation externe

Elle s'applique aux situations où le narrateur voit et décrit les êtres de l'extérieur comme les saisirait un photographe. Zola l'emploie fort peu, et toujours à propos de personnages secondaires. Par exemple à propos des Parisiens empruntant le passage du Pont-Neuf :

> « On y voit des apprentis en tablier de travail, des ouvrières reportant leur ouvrage, des hommes et des femmes tenant des paquets sous leur bras ; on y voit encore des vieillards se traînant dans le crépuscule morne qui tombe des vitres, et des bandes de petits enfants qui viennent là, pour faire du tapage en courant, en tapant à coups de sabots sur les dalles » (p. 32).

On ne saura jamais quelles sont les pensées, les souffrances, les préoccupations ou les espoirs de ces gens. Leur conscience demeure opaque. Tout comme on ignore ce que peut ressentir l'agent qui dresse le procès-verbal sur la mort de Camille (p. 119) ; ou cette visiteuse de la morgue qui fascine tant Laurent parce qu'elle contemple fixement « le corps d'un grand gaillard, d'un maçon qui venait de se tuer net en tombant d'un échafaudage ; il avait une poitrine carrée, des muscles gros et courts, une chair blanche et grasse ; la mort en avait fait un marbre » (p. 128). La « dame » est-elle sensible à la beauté de cet étrange spectacle ? Dissimule-t-elle son désespoir ?

▌La focalisation interne

Elle est utilisée quand la narration, ou du moins une partie de celle-ci, est envisagée du point de vue d'un personnage. C'est par son regard que la réalité est appréhendée. La description physique de Laurent s'effectue ainsi à travers les yeux de Thérèse : « Elle arrêta un instant ses regards sur son cou ; ce cou était large et court, gras et puissant » (p. 58). Il en va de même des invités du jeudi soir : « [...] parfois des hallucinations la prenaient, elle se croyait enfouie au fond d'un caveau, en compagnie de cadavres mécaniques, remuant la tête, agitant les jambes et les bras » (p. 55-56).

La focalisation interne se prête parfaitement au récit des hallucinations. L'effet produit sur le lecteur est immédiat. Celui-ci adhère d'autant mieux aux réactions du personnage qu'il lui semble les vivre avec lui. C'est ainsi le cas des nuits de terreur que vit Laurent :

> « [...] ce fut Camille qui lui ouvrit, Camille tel qu'il l'avait vu à la Morgue, verdâtre, atrocement défiguré. Le cadavre lui tendant les

bras, avec un rire ignoble, en montrant un bout de langue noirâtre dans la blancheur des dents » (p. 154).

NARRATION ET DIALOGUE

Tout narrateur peut opter pour la relation des événements (la narration) ou pour le dialogue. Il peut insérer des dialogues dans la narration, privilégier les uns aux dépens de l'autre, ou inversement.

▌L'importance de la narration

La part quantitative de la narration l'emporte nettement sur celle des dialogues. Il suffit de feuilleter le roman presque au hasard pour s'en apercevoir. C'est la conséquence du recours fréquent à la focalisation zéro.

Assumant, même indirectement, la narration, le narrateur dirige celle-ci à sa guise. Il peut non seulement choisir les séquences temporelles qui lui conviennent[1], mais il peut sélectionner tel ou tel lexique, adopter telle figure de style plutôt qu'une autre.

Un bon exemple de cette conduite maîtrisée de la narration est présent à la fin de presque chaque chapitre, qui se terminent souvent sur une formule forte :

> « Thérèse gardait toujours son indifférence douce, son visage contenu, effrayant de calme » (fin du chap. II, p. 44).
> « L'acte fut silencieux et brutal » (fin du chap. VI, p. 69).
> « Ce furent les canotiers qui mangèrent le dîner de Camille » (fin du chap. XI, p. 114).

▌Les dialogues

Ils sont peu nombreux. Certains chapitres, comme les chapitres VIII, XIII ou XVIII, n'en renferment aucun. Dans d'autres (chap. XXII, XXV ou XXX), ils sont très brefs. Leur rareté les rend d'autant plus importants.

Les dialogues, dans lesquels le narrateur feint de céder la parole aux personnages, remplissent une triple fonction.

---

1. Cf. p. 82 à 85.

La première est de mettre en évidence la caractéristique principale d'un personnage. Pour ne pas assumer directement un jugement personnel qui serait contraire à l'apparente objectivité du récit, le narrateur prête ainsi aux invités du jeudi soir des propos insignifiants. La banalité découle ainsi des répliques elles-mêmes. Mme Raquin se désespère de la mort de son fils :

> « Voyons, chère Dame, s'écria le vieux Michaud avec une légère impatience, il ne faut pas vous désespérer comme cela. Vous vous rendrez malade.
> – Nous sommes tous mortels, affirma Grivet.
> – Vos pleurs ne vous rendront pas votre fils, dit sentencieusement Olivier » (p. 136).

La deuxième fonction des dialogues est de confirmer par l'exemple le récit assumé par le narrateur omniscient. Par exemple : celui-ci analyse les angoisses des nouveaux époux. Le récit cède soudain la place au dialogue, qui s'inscrit dans le droit fil des commentaires omniscients :

> « Pourquoi trembles-tu ? lui criait-il. Aurais-tu peur de Camille ?...
> Va, le pauvre homme ne sent plus ses os, à cette heure » (p. 206).

La dernière (et principale) fonction du dialogue est de vivifier le récit, de découper à l'intérieur de celui-ci de véritables scènes, aux moments essentiels de l'action. Ce n'est pas un hasard si l'épisode du meurtre de Camille (chap. XI) est celui qui contient de longs dialogues. Les réactions des assassins et de leur future victime sont rapportées comme « en direct ». La même constatation s'impose au chapitre XIX où se décide le mariage de Thérèse et de Laurent. Ou encore au chapitre XXVII où Mme Raquin tente vainement de dénoncer les criminels.

8 | L'organisation de l'espace

Le choix et la description des lieux sont des éléments essentiels de toute narration. Il n'est pas indifférent en effet qu'un récit soit censé se dérouler dans tel endroit plutôt que dans tel autre. De même que le temps, l'organisation de l'espace structure *Thérèse Raquin* et contribue à la dramatisation du roman.

LA GÉOGRAPHIE DU ROMAN

Thérèse Raquin évoque plusieurs lieux, d'intérêt d'ailleurs divers. Ils ne constituent pas seulement un cadre géographique ou réaliste pour l'action. Leur distribution touche à la forme même du récit, parce que tous ces lieux se ressemblent. Ce sont des espaces refermés sur eux-mêmes.

Les différents lieux

L'action romanesque se déroule dans trois lieux principaux.

Le plus important d'entre eux est le passage du Pont-Neuf et, à l'intérieur de la galerie, la mercerie tenue par Mme Raquin. L'essentiel de l'intrigue s'y concentre, puisque vingt-sept chapitres sur trente et un ont pour cadre la boutique et, juste au-dessus d'elle, l'appartement des Raquin[1].

La Seine, où se déroule la tragique promenade en barque, est un second espace, le seul qui soit à l'air libre (chap. XI), si l'on excepte les escapades de Thérèse dans les rues de Paris (chap. XXXI).

La Morgue où Laurent retrouve, pour l'identifier, le cadavre de Camille (chap. XIII), constitue le troisième lieu important de l'intrigue.

---

1. Seuls les chapitres II, XI, XIII et XVII se situent hors de l'appartement des Raquin.

D'autres endroits sont mentionnés ou dépeints. Certains symbolisent un passé révolu : le chapitre II évoque ainsi l'existence des Raquin à Vernon, avant leur installation à Paris. D'autres sont de vagues « ailleurs » : Thérèse rêve par exemple de quitter Camille pour aller vivre avec Laurent (p. 91). D'autres enfin se réduisent à de simples indications topographiques : « Arrivé à la barrière de Clichy, il [Laurent] prit un fiacre, il se fit conduire chez le vieux Michaud, rue de Seine » (p. 115). Mais ces lieux secondaires ne structurent pas le roman.

La distribution des espaces

Les trois principaux lieux sont en rapport étroit avec l'organisation du récit.

La morgue fonctionne paradoxalement comme un lieu de transition. Tout s'y achève et tout y recommence. L'identification du cadavre de Camille marque officiellement son décès[1] et, avec lui, la fin de l'emprisonnement conjugal de Thérèse. C'est, en même temps, la possibilité pour elle et Laurent de se marier, de vivre le bonheur auquel ils aspiraient et pour lequel ils ont tué. L'action se déroule donc dans l'appartement des Raquin avant et après l'épisode de la morgue (chap. XIII). La symétrie spatiale est parfaite.

La symétrie des espaces reprend la symétrie de l'intrigue. Si Thérèse et Laurent décident de ne pas changer d'appartement, c'est pour ne pas abandonner Mme Raquin et ne pas la laisser s'occuper seule de la boutique, mais aussi parce que le remariage de Thérèse fait écho à sa première union avec Camille. Le parallélisme est d'autant plus saisissant que le spectre de Camille revient hanter leurs nuits : « Thérèse n'était pas veuve, Laurent se trouvait être l'époux d'une femme qui avait déjà pour mari un noyé » (p. 207).

L'étude du dispositif spatial montre ainsi que l'action de *Thérèse Raquin* est construite autour de la reprise des mêmes gestes et des

---

1. À l'époque de Zola comme de nos jours, aucune personne n'est officiellement déclarée décédée tant qu'on n'a pas retrouvé son corps. Elle est jusqu'alors considérée comme disparue.

mêmes faits. La haine et le dégoût que Thérèse et Laurent finissent par éprouver l'un pour l'autre sont le reflet de la haine et du dégoût de Thérèse pour Camille.

▌Des espaces fermés sur eux-mêmes

Les lieux romanesques sont souvent des espaces confinés. L'appartement des Raquin donne dans le passage du Pont-Neuf par « une allée obscure et étroite ». De la fenêtre de sa chambre, Thérèse ne peut contempler qu'une « grande muraille noire, crépie grossièrement, qui monte et s'étend au-dessus de la galerie » (p. 36). Les trois pièces que les Raquin habitent lui semblent « effrayante de solitude » (p. 48). La chambre que Laurent occupe durant son célibat n'est guère plus avenante : c'est un « trou étroit » (p. 92) dans lequel il étouffe. Placée à l'écart, sur l'île de la Cité, la morgue prend, par définition, les dimensions d'un vaste tombeau, avec tous ses cadavres étendus sur les dalles (p. 125). Les lieux du roman évoquent toujours plus ou moins une prison ou un cercueil.

LA DRAMATISATION DE L'ESPACE

La description des lieux concourt à la mise en place d'une atmosphère tragique. Ces lieux sont funèbres, étouffants, nauséeux et circonscrivent en définitive un espace tragique.

▌Des lieux funèbres

Le passage du Pont-Neuf invite au crime. Zola le décrit comme une « galerie souterraine vaguement éclairée par trois lampes funéraires » (p. 33). À la nuit tombante, c'est un « coupe-gorge » (p. 33). La mercerie revêt, de son côté, l'apparence d'un « caveau » (p. 55). Quand Thérèse la découvre pour la première fois, elle a l'impression de descendre dans « la terre grasse d'une fosse » (p. 47). Après la mort de Camille, l'étalage de la mercerie, « jauni par la poussière », semble « porter le deuil de la maison » (p. 131).

Le jour du crime, la Seine et ses berges offrent les mêmes particularités. Le ciel, les arbres, pourraient constituer un paysage souriant, mais c'est l'époque où la campagne « sent la mort venir avec les premiers vents froids », et où « la nuit descend de haut apportant des linceuls dans son ombre » (p. 110).

D'étroites correspondances s'établissent ainsi entre le cadre de l'action et l'action elle-même.

Des lieux étouffants et nauséeux

Ces lieux lugubres, fermés sur eux-mêmes, cantonnent les personnages au dessèchement ou à la mort. Lorsque Thérèse contemple, sans mot dire, les invités du jeudi soir, elle se croit « en compagnie de cadavres mécaniques remuant la tête, agitant les jambes et les bras » (p. 56).

Avant sa rencontre avec Laurent, elle vit dans une perpétuelle sensation d'étouffement, de monotonie sans fin. Puis, lorsqu'elle et Laurent commencent à se déchirer, la mercerie, reflétant l'échec du couple, tombe dans un état d'abandon et de négligence : Thérèse « laissait le magasin se pourrir, elle abandonnait les marchandises à la poussière et à l'humidité. Des odeurs de moisi traînaient, des araignées descendaient du plafond, le parquet n'était presque jamais balayé » (p. 276).

Quant au spectacle de la Morgue, il suscite chez Laurent écœurement et épouvante : « Malgré les répugnances qui lui soulevaient le cœur, malgré les frissons qui le secouaient parfois, il alla, pendant plus de huit jours, régulièrement, examiner le visage de tous les noyés étendus sur les dalles » (p. 124).

L'espace tragique

Quelle que soit leur configuration, les lieux remplissent enfin une fonction tragique.

Il est impossible d'y vivre normalement, mais il n'est pas non plus possible de s'en éloigner. Ce sont des pièges. Camille n'aime guère l'appartement qu'il habite (p. 49) et ne le regagne que pour y dormir. Lorsqu'il s'en échappe, c'est pour faire une promenade mortelle sur la Seine. À cause de Mme Raquin, Thérèse et Laurent ne peuvent changer d'appartement, mais supportent de moins en moins d'y demeurer. Dans « la salle à manger », ils se dévorent « à l'aise, au fond de cette pièce humide, de cette sorte de caveau que la lampe éclairait de lueurs jaunâtres. Leurs voix, au milieu du silence et de la tranquillité de l'air, prenaient des sécheresses déchirantes » (p. 253-254). Tout leur rappelle la présence du mort : « Laurent ne pouvait toucher une fourchette, une brosse, n'importe quoi, sans que Thérèse lui fît sentir que Camille avait touché cela avant lui » (p. 270).

Ce lieu est en définitive un huis clos où les deux personnages s'irritent l'un l'autre, aiguisent leur haine. Les deux criminels ne peuvent pourtant se séparer, chacun craignant que l'autre n'aille le dénoncer à la police. Incapables de se supporter, voués à vivre ensemble, il sont condamnés à se suicider. La mercerie du passage du Pont-Neuf est le lieu par excellence de toutes les tragédies.

9 | Temps et durée

Le traitement du temps est l'une des composantes majeures d'un récit. C'est aussi l'un des problèmes les plus délicats à analyser. La notion de temps peut en effet s'appréhender de deux manières différentes : d'une part il y a le temps objectif, chronologique et linéaire (passé, présent, futur) ; et d'autre part, le temps subjectif, tel qu'il est ressenti et vécu par une personne. Or ces deux temps ne coïncident presque jamais. Dix minutes peuvent paraître une éternité ; une heure peut passer aussi vite que dix minutes. Il convient donc de les traiter séparément afin de mieux comprendre comment ils sont exprimés dans le récit.

LE TEMPS OBJECTIF

Les temps verbaux dramatisent le récit. Ses marques temporelles lui donnent l'apparence d'une parfaite cohérence logique, qui repose malgré tout sur le principe de la discontinuité.

La fatalité du passé

Thérèse Raquin est presque entièrement rédigé au passé, comme c'est souvent le cas dans une narration. Le procédé n'est pas neutre. Il confère au récit un aspect révolu, terminé, et donc intangible. Nul ne peut changer le cours des événements, puisque ceux-ci se sont déjà produits. L'écriture au passé recèle en ce sens une dimension tragique particulièrement adaptée à la sombre destinée de Thérèse et de Laurent. Même le lecteur, qui découvre le roman pour la première fois et qui n'en connaît donc pas la fin, est saisi par le caractère inéluctable du récit.

Seules les deux premières pages du premier chapitre sont écrites au présent (p. 31-32). Il s'agit de la description du passage du Pont-Neuf. Ce présent a une double fonction. Il enracine d'abord l'intrigue romanesque dans un décor réel, à la fois contemporain de l'écriture du roman, de la vie des personnages et des premiers lecteurs de Zola[1]. Et il est ensuite un gage de vérité : le narrateur omniscient[2] semble revenir sur les lieux du crime pour en décrire le cadre.

Le passage du présent au passé s'effectue par la phrase suivante : « Il y a quelques années, en face de cette marchande, se trouvait une boutique… » (p. 33). L'œuvre se présente comme la reconstitution d'un fait accompli. Elle gagne d'emblée en crédibilité.

Les marques temporelles

Ce passé ne constitue pas une période indéfinie. Des repères temporels l'organisent. Aucun d'eux ne renvoie à une date précise[3], mais chaque chapitre possède des marques temporelles qui inscrivent les événements dans une linéarité chronologique. Ce sont par exemple des indications, même vagues, d'horaire journalier : « Le soir, dans la boutique » (p. 81) ; « un après-midi… » (p. 87) ; « un matin… » (p. 285). Ou bien la mention d'un jour de la semaine : « Un jour sur sept, le jeudi soir… » (p. 53) ; « parfois le dimanche… » (p. 101). Ailleurs ce sont des durées qui sont mentionnées : « Au bout d'une semaine… » (p. 128) ; « depuis deux mois… » (p. 251).

Ces références temporelles donnent au récit une sorte de mouvement causal, qui en assure la cohérence. En se succédant les uns aux autres, les événements semblent mieux découler les uns des autres.

Un temps discontinu

Le temps de la narration n'est toutefois pas continu. Il renferme des pauses et des trous. Entre la décision de tuer Camille (chap. IX)

---

1. Pour les lecteurs d'aujourd'hui, ce présent de la description devient un présent historique, puisque le passage du Pont-Neuf n'existe plus.
2. Cf. p. 73.
3. On peut tout juste déterminer la période. Grivet dit travailler depuis 20 ans au Chemin de fer Paris-Orléans (p. 54). Or, la compagnie a été créée en 1838.

et sa mort par noyade (chap. X) « trois semaines » (p. 97) s'écoulent. Entre le meurtre de Camille et le mariage de Thérèse et de Laurent « deux ans » (p. 171) se passent. Les chapitres XX à XXX embrassent une période de « cinq mois » (p. 277).

Le rythme du récit n'est donc pas uniforme. Les temps morts durant lesquels il ne se passe rien de notable sont escamotés. Les heures de bonheur des deux amants sont ainsi décrites dans un seul chapitre (chap. VIII). L'imparfait de l'indicatif y prend une valeur de répétition dans le passé. Le paragraphe final clôt sèchement cet épisode : « Pendant huit mois, dura cette vie de secousses et d'apaisements » (p. 85). Le temps du récit est un temps reconstruit : c'est une sélection de séquences.

LE TEMPS SUBJECTIF

La façon dont les personnages ressentent l'écoulement du temps est un complément indispensable à l'analyse de la chronologie. Le temps se dilate ou se rétrécit selon l'importance de l'épisode narratif.

Dilatation et rétractation

Selon les périodes de leur existence, les personnages entretiennent des rapports différents avec le temps. Avant de rencontrer Laurent, Thérèse voit par exemple « la vie s'étendre devant elle, toute nue, amenant chaque fois la même couche froide et chaque matin la même journée vide » (p. 51).

Laurent éprouve la même sensation alors qu'il s'est affectivement détaché de sa complice : Il se traîne « dans sa vie, épouvanté chaque soir par le souvenir de la journée et par l'attente du lendemain » :

> « Il savait que, désormais, tous ses jours se ressembleraient, que tous lui apporteraient d'égales souffrances. Et il voyait les semaines, les mois, les années qui l'attendaient, sombres et implacables, venant à la file, tombant sur lui et l'étouffant peu à peu » (p. 278).

À l'inverse tous deux se montrent parfois impatients, estimant que le temps passe trop vite. Quand Thérèse retrouve Laurent dans son « taudis », l'heure de leur séparation est toujours trop prématurée :

« Les amants restèrent longtemps dans le taudis, comme au fond d'un trou. Tout d'un coup, Thérèse entendit l'horloge de la Pitié sonner dix heures. Elle aurait voulu être sourde » (p. 89).

La dilatation et la rétractation de l'instant caractérisent l'appréciation subjective du temps.

Les effets narratifs

Ce traitement du temps a des conséquences sur la matière narrative et sur son organisation.

La dilatation du temps signale toujours un épisode essentiel de l'intrigue. Elle rend sensible la disproportion existant entre la durée objective d'un fait et l'importance que celui-ci revêt. Ainsi, le meurtre de Camille ne dure que « quelques secondes » (p. 112). Tout se passe très rapidement, mais Zola le décrit pourtant pendant presque deux pages (p. 111-112). La « nuit de fièvre » que connaît Laurent dure au plus une dizaine d'heures mais un chapitre entier est consacré à l'évocation de ses cauchemars (chap. XVII). Il en va de même pour Thérèse, « visitée elle aussi par le spectre de Camille » (chap. XVII).

La rétractation du temps, à l'inverse, informe le lecteur, lui fournit des éléments indispensables à la compréhension de l'intrigue sans que ceux-ci constitue pour autant le corps de l'action : le chapitre II relate ainsi toute la jeunesse de Thérèse et de Camille jusqu'à l'âge de dix-huit ans. Dans d'autres chapitres (chap. XIV par exemple), il s'agit de condenser la banalité et la monotonie du quotidien.

10 | Langue et style

À lire *Thérèse Raquin*, les phrases semblent couler d'elles-mêmes. Tout semble simple, réaliste, vraisemblable, sans mots compliqués. Rien n'est pourtant plus travaillé que l'apparence du naturel. Les champs lexicaux se révèlent être très riches. La langue est expressive, et les tons sont variés.

LES CHAMPS LEXICAUX

Le vocabulaire scientifique

Parce que le naturalisme assignait au roman un but et une démarche scientifiques[1], *Thérèse Raquin* abonde en notations physiologiques et médicales. Le comportement des deux époux criminels s'expliquant par l'union d'une « nature nerveuse » et d'une « nature sanguine », les références aux nerfs, au « tempérament », à « l'organisme » sont fort nombreuses. Ainsi, lorsque le narrateur commente l'influence que Thérèse et Laurent exercent l'un sur l'autre :

> « La nature sèche et nerveuse de Thérèse avait agi d'une façon bizarre sur la nature épaisse et sanguine de Laurent. [...] L'amant donnait de son sang, l'amante de ses nerfs, et ils vivaient l'un dans l'autre, ayant besoin de leurs baisers pour régulariser le mécanisme de leur être. Mais un détraquement venait de se produire ; les nerfs surexcités de Thérèse avaient dominé » (p. 199).

Le vocabulaire de l'hérédité occupe également une place privilégiée. L'ardeur amoureuse de Thérèse provient de ses origines :

---

1. Cf. p. 63 à 66.

« Tous ses instincts de femme nerveuse éclatèrent avec une violence inouïe ; le sang de sa mère, ce sang africain qui brûlait ses veines, se mit à couler, à battre furieusement dans son corps maigre » (p. 73).

Roman de la névrose et de la folie[1], *Thérèse Raquin* renferme enfin de véritables diagnostics médicaux. Par exemple :

« On eût dit les accès d'une effrayante maladie, d'une sorte d'hystérie du meurtre. Le nom de maladie, d'affection nerveuse était réellement le seul qui convînt aux épouvantes de Laurent. Sa face se convulsionnait, ses membres se roidissaient » (p. 201-202).

« Auparavant, il [Laurent] étouffait sous le poids lourd de son sang, il restait aveuglé par l'épaisse vapeur de santé qui l'entourait ; maintenant, maigri, frissonnant, il avait la verve inquiète […]. La maladie en quelque sorte morale, sa névrose, dont tout son être était secoué, développait en lui un sens artistique d'une lucidité étrange » (p. 229).

Le vocabulaire du corps et du désir

Parce que Zola est convaincu que la psychologie dépend de la physiologie[2], les références au corps sont très nombreuses : la constitution malingre de Camille, la puissante carrure de Laurent, la silhouette de Thérèse, le corps paralysé de Mme Raquin, les cadavres déposés à la morgue. Les personnes se définissent d'abord par leur présence physique au monde.

Les yeux et les regards jouent ainsi un rôle essentiel. Ils signifient l'entente ou le dégoût des uns ou des autres. Le mépris de Thérèse pour Camille s'exprime dans la simple phrase suivante : « […] Thérèse regarda longtemps cette face blafarde qui reposait bêtement sur l'oreiller, la bouche ouverte » (p. 95). À l'inverse, les deux amants se comprennent sans mot dire parce que « leurs regards s'étaient rencontrés, noirs et ardents » (p. 100).

Zola est en outre l'un des premiers romanciers à décrire ouvertement le désir physique, sans romantisme aucun :

« Cette face d'amante s'était comme transfigurée, elle avait un air fou et caressant ; les lèvres humides, les yeux luisants, elle rayonnait.

---

1. Cf. p. 55 à 62.
2. Selon Zola, les pensées, les réactions, les émotions dépendent du fonctionnement des organes.

La jeune femme, tordue et ondoyante, était belle d'une beauté étrange, toute d'emportement. On eût dit que sa figure venait de s'éclairer en dedans, que des flammes s'échappaient de sa chair » (p. 72).

Ce parti pris explique qu'une partie du public se soit montrée réservée, voire hostile, envers le roman lors de sa parution.

▌Le vocabulaire du concret et du quotidien

Zola a le sens du mot précis. Il dit les choses comme elles sont, par souci de rendre compte du réel tel qu'il est, sans volonté de l'enjoliver. Avec lui, les gestes et les paroles du quotidien pénètrent dans le domaine romanesque. C'est pour lui une manière de révéler le caractère de ses personnages. La lutte de Thérèse contre ses angoisses nocturnes transparaît dans sa fébrilité du matin :

> « Elle tournait toute la matinée, balayant, époussetant, nettoyant les chambres, lavant la vaisselle, faisant des besognes qui l'auraient écœurée autrefois. Jusqu'à midi, ces soins de ménage la tenaient sur les jambes, active et muette, sans lui laisser le temps de songer à autre chose qu'aux toiles d'araignée qui pendaient du plafond et qu'à la graisse qui salissait les assiettes » (p. 216).

Les dialogues sont parfois banals, reflétant ainsi la médiocrité intellectuelle des interlocuteurs :

> « On est si bien chez vous, déclara Grivet, qu'on ne songe jamais à s'en aller.
> – Le fait est, appuya Michaud, que je n'ai jamais sommeil ici, moi qui me couche à neuf heures d'habitude » (p. 299).

Les considérations financières (voir p. 49 ou 223), la marchandise de la mercerie (chap. I), le matériel de peintre de Laurent (chap. XXV) ou la description de son banquet de mariage font également l'objet d'une évocation précise : « [La noce] se rendit à la gargote où une table de sept couverts était dressée dans un cabinet peint en jaune, qui puait la poussière et le vin » (p. 181).

UNE ÉCRITURE EXPRESSIVE

Une grande puissance d'évocation

Le style de Zola possède un fort pouvoir de suggestion : il donne constamment à voir. Les adjectifs qualificatifs concourent à produire cet effet. Les phrases en comportent au moins un, souvent deux ou trois. Leur présence et leur accumulation isolent la scène narrée, qui s'impose ainsi plus facilement à l'esprit. C'est le cas, par exemple, lorsque Thérèse, remariée à Laurent, contemple la galerie du Pont-Neuf :

> « Le passage humide, ignoble, traversé par un peuple de pauvres diables mouillés, dont les parapluies s'égouttaient sur les dalles, lui semblait l'allée d'un mauvais lieu, une sorte de corridor sale et sinistre où personne ne viendrait la chercher et la troubler » (p. 217).

Zola ne pratique guère la litote[1] chère aux écrivains classiques. Il recherche au contraire volontiers l'excès, le paroxysme. Camille n'est pas seulement souffreteux, il est toujours « ignoble ». Les rêves sont « brûlants ». Les assassins vivent dans « l'écœurement » et l'« épouvante ». La haine qui bientôt les dresse l'un contre l'autre est « atroce, aux éclats terribles » (p. 251) : « C'étaient des scènes atroces, des étouffements, des coups, des cris ignobles, des brutalités honteuses » (p. 253).

Cette écriture de l'exagération pousse parfois Zola à privilégier le sordide et l'insupportable. C'est notamment vrai dans l'épisode où Laurent se rend chaque jour à la morgue (chap. XIII).

Le sens de la formule

Des « phrases chocs » annoncent ou résument les situations romanesques :

> « Le soir, Thérèse, au lieu d'entrer dans sa chambre qui était à gauche de l'escalier, entra dans celle de son cousin, qui était à droite. Ce fut tout le changement qu'il y eut dans sa vie, ce soir-là » (p. 43).

---

1. « Litote » : figure de style consistant à atténuer l'expression de sa pensée pour faire entendre le plus en disant le moins. Par exemple : dire « Ce n'est pas mauvais » pour « c'est très bon ».

« Le lendemain [du crime], Laurent s'éveilla frais et dispos » (p. 123).

« C'est à la morgue que les jeunes voyous ont leur première maîtresse » (p. 128), parce qu'ils viennent y contempler les corps dénudés des cadavres.

Le narrateur résume parfaitement l'enfer que vivent Thérèse et Laurent : « Thérèse n'était pas veuve, Laurent se trouvait être l'époux d'une femme qui avait déjà pour mari un noyé » (p. 207).

Le désespoir de Mme Raquin paralysée, contrainte d'accepter de ce fait l'aide de celui qui a tué son fils, se condense dans cette remarque : « Désormais, il lui faudrait, matin et soir, subir l'étreinte immonde des bras de Laurent » (p. 243).

▌L'art de camper une scène

Chaque chapitre de *Thérèse Raquin* renferme une scène forte. Quelques mots ou quelques lignes suffisent à Zola pour structurer son tableau, au sens pictural du terme :

> « Le corps semblait un tas de chairs dissoutes ; il avait horriblement souffert. On sentait que les bras ne tenaient plus ; les clavicules perçaient la peau des épaules. Sur la poitrine verdâtre, les côtes faisaient des bandes noires ; le flanc gauche, crevé, ouvert, se creusait au milieu de lambeaux d'un rouge sombre. Tout le torse pourrissait. Les jambes, plus fermes, s'allongeaient, plaquées de taches immondes. Les pieds tombaient » (p. 129).

Les scènes peuvent se faire plus paisibles, mais ce n'est toujours qu'en apparence. C'est par exemple le cas pour les soirées que les nouveaux mariés passent avec Mme Raquin avant que celle-ci découvre la vérité sur la mort de son fils :

> « La lampe jetait sur sa face blanche des lueurs pâles ; ses paroles prenaient une douceur extraordinaire dans l'air mort et silencieux. Et, à ses côtés, les deux meurtriers, muets, immobiles, semblaient l'écouter avec recueillement » (p. 219).

L'effet de lumière, la disposition des personnages, leur attitude, l'atmosphère, tout fait songer à une peinture[1].

---

1. Sur la peinture, cf. p. 60 à 62 et p. 117 à 120.

Quant aux dernières lignes du livre, elles confèrent une dimension tragique à la silhouette de Mme Raquin qui, « raide et muette », contemple les suicidés « à ses pieds, ne pouvant se rassasier les yeux, les écrasant de regards lourds » (p. 301).

UNE VARIÉTÉ DE TONS

Le roman présente une certaine variété de tons, oscillant entre l'ironique et le pathétique.

L'ironie

L'ironie naît d'un décalage entre la réalité cruelle, sordide, et l'apparence qu'elle a pour les autres. Le narrateur joue sur ce décalage et s'adresse ainsi au lecteur qui connaît, lui, l'ensemble de l'intrigue. Il se met ainsi à distance des personnages, présente leur bêtise ou leur égoïsme.

Un passage pleinement ironique se situe au chapitre XXXI, juste avant le suicide de Thérèse et Laurent :

> « Olivier prétendait, par une plaisanterie d'homme de police, que la salle à manger sentait l'honnête homme. Grivet, pour ne pas rester en arrière, l'avait appelée le Temple de la Paix. » (p. 298)

Pour celui qui connaît l'enfer que vivent Thérèse et Laurent, la phrase est d'une bêtise absolue. D'une bêtise, voire d'une méchanceté puisque le narrateur indique juste après que « à deux ou trois reprises [...] Thérèse expliqua les meurtrissures qui lui marbraient le visage en disant aux invités qu'elle était tombée. » Les invités ne s'interrogent pas outre mesure sur l'origine de ces bleus, préférant se concentrer sur leurs dominos.

De même, les commerçants du passage du Pont-Neuf qualifient le couple que forment Thérèse et Laurent de « ménage modèle » et célèbrent « l'affection, le bonheur tranquille, la lune de miel éternelle des deux époux » (p. 222). Pour le lecteur qui connaît la vérité, cela est d'une absurdité totale et dramatique.

Ailleurs, le narrateur peut aller jusqu'à porter un jugement moqueur sur les personnages. Il est ainsi directement ironique :

> « Il voulait être employé dans une grande administration : il rou-
> gissait de plaisir lorsqu'il se voyait en rêve au milieu d'un vaste
> bureau, avec des manches de lustrine, la plume sur l'oreille » (p. 46).

L'opposition entre la description du bureau et le bonheur de Camille prête à rire. Et lorsque « enfin il entra dans l'administration du chemin de fer d'Orléans. [...] Son rêve était exaucé » (p. 49).

Il fait preuve de la même ironie à propos des relations de Thérèse et de Mme Raquin. La première, saisie de remords, tente de se faire pardonner ; la seconde, paralysée, ne peut dire sa haine. Ainsi :

> « Elle accabla Mme Raquin de son désespoir larmoyant. La para-
> lytique lui devint d'un usage journalier ; elle lui servait en quelque
> sorte de prie-Dieu, de meuble devant lequel elle pouvait sans
> crainte avouer ses fautes, et en demander le pardon » (p. 262).

D'une certaine façon, tout le roman lui-même est bâti sur cette ironie, sur un décalage entre les intentions des personnages et leur existence. Laurent et Thérèse tuent pour se marier et être heureux. Et le bonheur leur échappe dès leur nuit de noces :

> « Ils auraient voulu avoir la force de s'étreindre et de se briser, afin
> de ne point passer à leurs propres yeux pour des imbéciles. Hé
> quoi ! ils s'appartenaient, ils avaient tué un homme et joué une
> atroce comédie pour pouvoir se vautrer avec impudence dans un
> assouvissement de toutes les heures, et ils se tenaient là, aux deux
> coins d'une cheminée [...]. Un tel dénouement finit par leur
> paraître d'un ridicule horrible et cruel » (p. 187).

Dans une tragédie, on parlerait d'ironie du sort.

▌Le pathétique

Plusieurs passages du roman créent chez le lecteur un fort sentiment de pitié. Si « ignoble » soit-il, on ne peut que plaindre Camille. De son malheur, il n'est qu'en partie responsable. Mme Raquin suscite la même réaction. Elle est généreuse, bonne, dévouée à ses enfants, dont par excès de bonté, elle fait pourtant le malheur. Comme le résume Thérèse :

> « Je ne leur souhaite pas de mal[1]. Ils m'ont élevée, ils m'ont
> recueillie et défendue contre la misère... Mais j'aurais préféré

---

1. « Leur » : à Mme Raquin et à son fils Camille.

l'abandon à leur hospitalité. […] Ils ont fait de moi une hypocrite et une menteuse… Ils m'ont étouffée dans leur douceur bourgeoise, et je ne m'explique pas comment il y a encore du sang dans mes veines… J'ai baissé les yeux, j'ai eu comme eux un visage morne et imbécile, j'ai mené leur vie morte » (p. 74-75).

Comment ne pas s'émouvoir de la jeunesse « étouffée » de Thérèse ? Comment aussi rester insensible au désespoir de Mme Raquin, découvrant la vérité ?

« Elle sentit en elle un écroulement qui la brisa. Sa vie entière était désolée, toutes ses tendresses, toutes ses bontés, tous ses dévouements venaient d'être brutalement renversés et foulés aux pieds. Elle avait mené une vie d'affection et de douceurs et, à ses heures dernières, lorsqu'elle allait emporter dans la tombe la croyance aux bonheurs calmes de l'existence, une voix lui criait que tout est mensonge et que tout est crime » (p. 241).

Le roman provoque constamment chez le lecteur un double sentiment d'effroi et de compassion.

TROISIÈME PARTIE

Six lectures méthodiques

Au bout de la rue Guénégaud, lorsqu'on vient des quais,
on trouve le passage du Pont-Neuf, une sorte de corridor
étroit et sombre qui va de la rue Mazarine à la rue de Seine.
Ce passage a trente pas de long et deux de large, au plus ; il
5   est pavé de dalles jaunâtres, usées, descellées, suant toujours
une humidité âcre ; le vitrage qui le couvre, coupé à angle
droit, est noir de crasse.

Par les beaux jours d'été, quand un lourd soleil brûle les
rues, une clarté blanchâtre tombe des vitres sales et traîne
10   misérablement dans le passage. Par les vilains jours d'hiver,
par les matinées de brouillard, les vitres ne jettent que de la
nuit sur les dalles gluantes, de la nuit salie et ignoble.

À gauche, se creusent des boutiques obscures, basses,
écrasées, laissant échapper des souffles froids de caveau. Il y
15   a là des bouquinistes, des marchands de jouets d'enfant, des
cartonniers, dont les étalages gris de poussière dorment
vaguement dans l'ombre ; les vitrines, faites de petits carreaux, moirent étrangement les marchandises de reflets verdâtres ; au-delà, derrière les étalages, les boutiques pleines de
20   ténèbres sont autant de trous lugubres dans lesquels s'agitent
des formes bizarres.

À droite, sur toute la longueur du passage, s'étend une
muraille contre laquelle les boutiquiers d'en face ont plaqué
d'étroites armoires ; des objets sans nom, des marchandises
25   oubliées là depuis vingt ans s'y étalent le long de minces
planches peintes d'une horrible couleur brune. Une marchande de bijoux faux s'est établie dans une des armoires ;
elle y vend des bagues de quinze sous, délicatement posées
sur un lit de velours bleu, au fond d'une boîte en acajou.

INTRODUCTION

Situer le passage

Il s'agit de l'incipit de *Thérèse Raquin*, c'est-à-dire des premières lignes du roman. Avant de lire le roman, la seule indication dont dispose le lecteur est le titre, qui présente un personnage féminin.

Dégager des axes de lecture

Dans la Préface à la deuxième édition de *Thérèse Raquin*, Zola rappelle que son but a été « scientifique avant tout ». Le romancier prétend être objectif. Il veut décrire ce qui est, et donner au lecteur le moyen de juger à son tour. Mais le texte n'a pas l'impersonnalité affichée : une présence subjective est aisément discernable.

PREMIER AXE DE LECTURE
UNE DESCRIPTION OBJECTIVE
ET MINUTIEUSE

Les précisions spatiales

Pour donner à la réalité un caractère réaliste, l'écrivain mêle à la fiction des éléments réels. La « rue Guénégaud », le « Passage du Pont-Neuf », allant de la « rue Mazarine à la rue de Seine » existent véritablement. Ces noms propres ancrent d'emblée le récit dans la réalité, et le lecteur accepte ainsi plus facilement le personnage de fiction qu'est *Thérèse Raquin*.

Le vocabulaire mathématique vient compléter les références géographiques pour donner au texte l'apparence de la vérité. Les mesures (« Ce passage a trente pas de long et deux de large au plus », l. 4-5) sont très précises. Ce souci de véracité suffit pour que plus loin l'expression « sur toute sa longueur » (l. 22) ait effectivement une valeur descriptive.

Grâce à l'expression « coupé à angle droit » (l. 6-7), le narrateur parvient à donner une tonalité rigoureuse à tout le passage. Il peut ainsi utiliser des éléments moins précis, sans altérer le caractère réaliste de la description : « petits carreaux » (l. 17), « étroites armoires » (l. 24), « minces planches » (l. 25-26). Le narrateur crée une impression d'exiguïté qui s'étend ainsi à tout le « passage du Pont Neuf ».

Les notations temporelles

Le traitement du temps donne également au texte une coloration réaliste. La description prend soin de couvrir toutes les parties de l'année : « Par les beaux jours d'été » (l. 8) ; « Par les vilains jours d'hiver » (l. 10). Et deux verbes au présent reprennent ces indications temporelles : « un lourd soleil brûle les rues » (l. 8-9), « les vitres ne jettent que de la nuit sur les dalles gluantes » (l. 11-12). Cette technique donne au lieu un caractère d'éternité : le présent de l'actualité passe pour un présent de vérité générale, et le décor acquiert une sorte de permanence, de vérité.

Les tournures impersonnelles

La description est faite à la troisième personne. Le sujet des phrases est le lieu ou l'objet qui est décrit : « Ce passage » (l. 4), « une clarté » (l. 9), « les vitres » (l. 11), « des boutiques obscures » (l. 13), « une muraille » (l. 27). Le narrateur fait mine de s'effacer derrière les éléments de la description en en faisant les sujets de l'action. C'est ainsi qu'apparaissent quelques verbes réfléchis (« se creusent des boutiques obscures » (l. 13) ; « s'étend une muraille » l. 22-23) et que le narrateur utilise la tournure impersonnelle « il y a » : « Il y a là des bouquinistes, des marchands de jouets d'enfant, des cartonniers, dont les étalages gris de poussière dorment vaguement dans l'ombre » (l. 14-17). Cette phrase contient à elle seule trois procédés destinés à donner la primauté à l'objet décrit, et à créer un effet de réalité : le présentatif « il y a » ; l'énumération, qui fait croire qu'on dit tout ; et la personnification des objets pour qui est employé le verbe « dormir », normalement destiné aux êtres animés.

DEUXIÈME AXE DE LECTURE
LA MANIFESTATION D'UNE SUBJECTIVITÉ

Le passant

La description suit un parcours, celui d'un passant : « lorsqu'on vient des quais » (l. 1). « on », un pronom indéfini, ne désigne personne, mais indique pourtant une présence qui organise la description. L'expression « trente pas » (l. 4) utilise une échelle non pas abstraite, mais humaine. C'est bien la démarche d'un passant qui sert ici de mesure : on trouve « à gauche » (l. 13), « à droite » (l. 22) et « au-delà, derrière les étalages, les boutiques pleines de ténèbres » (l. 19-20). Son regard organise la description et la lumière est répartie en fonction de son champ de vision : ce qu'il ne peut voir est plongé dans les « ténèbres ». Il est ici tout aussi question de position spatiale que de position morale. Le mot « ténèbres » désigne ce que le passant ne voit pas, mais également ce qu'il ne comprend pas, voire ce qu'il condamne moralement.

Les adjectifs négatifs

Le narrateur emploie des adjectifs nettement péjoratifs : « étroit », « sombre », « sales »... Il emploie également l'expression « des objets sans noms » comme si le passage renfermait des choses inqualifiables. D'autres adjectifs sortent clairement du registre descriptif, et constituent de vrais jugements de valeur : « salie et ignoble » (l. 12), « lugubres » (l. 20), « bizarres » (l. 21), « horrible » (l. 26).

Le narrateur fait également usage du suffixe « -âtre » dans les mots « jaunâtres » (l. 5), « blanchâtre » (l. 9), « verdâtres » (l. 18). La valeur négative de la sonorité « -âtre » s'étend aux termes qui l'entourent : « il est pavé de dalles jaun*âtres*, usées, descellées, suant toujours une humidité *âcre*; le vit*rage* qui le couvre, coupé à angle droit, est noir de c*rasse* » (l. 4-7).

Le sentiment de la mort

Le passage est présenté comme un lieu sépulcral. On trouve d'abord la couleur de la mort, le noir : « noir de crasse » (l. 7), « les

vitres ne jettent que de la nuit » (l. 12), « obscures » (l. 13), « ombre »
(l. 17), « ténèbres » (l. 20), « horrible couleur brune » (l. 26).

Mais avec le terme « caveau » (l. 16), le texte bascule dans le fantastique : le « corridor » (l. 2) prend des allures de cimetière. L'air est
« froid ». Il est fait allusion à des « dalles […] descellées » (l. 5) comme
pourraient l'être des pierres tombales. Peu après cet extrait, le narrateur signale que la muraille est « comme couverte d'une lèpre et
toute couturée de cicatrices » : on dirait le portrait d'un mort vivant.
Et les êtres qui hantent le corridor n'ont aucune identité, ce sont
« des formes bizarres » (l. 21). Le seul personnage du passage, la
« marchande de bijoux », est aussitôt happé par cette atmosphère
fantasmagorique : l'écrin de ses « bijoux faux » ne ressemble-t-il pas
à un cercueil (« sur un lit de velours bleu, au fond d'une boîte en acajou » ; l. 28-29) ?

CONCLUSION

Le lieu décrit dans cet incipit est totalement clos. Le passage est
étroit, sombre, comme muré par une épaisse muraille. C'est dans ce
décor que se déroulera l'intrigue. Il ne s'agit plus maintenant pour le
narrateur que de plonger un personnage dans ce milieu, et d'observer ses réactions.

Elle pleurait, elle embrassait Laurent, elle continuait avec
une haine sourde :

– Je ne leur souhaite pas de mal. Ils m'ont élevée, ils
m'ont recueillie et défendue contre la misère… Mais j'aurais
5 préféré l'abandon à leur hospitalité. J'avais des besoins cuisants de grand air ; toute petite, je rêvais de courir les chemins, les pieds nus dans la poussière, demandant l'aumône,
vivant en bohémienne. On m'a dit que ma mère était fille
d'un chef de tribu, en Afrique ; j'ai souvent songé à elle, j'ai
10 compris que je lui appartenais par le sang et les instincts,
j'aurais voulu ne la quitter jamais et traverser les sables, pendue à son dos… Ah ! quelle jeunesse ! J'ai encore des dégoûts
et des révoltes, lorsque je me rappelle les longues journées
que j'ai passées dans la chambre où râlait Camille. J'étais
15 accroupie devant le feu, regardant stupidement bouillir les
tisanes, sentant mes membres se roidir. Et je ne pouvais bouger, ma tante grondait quand je faisais du bruit… Plus tard,
j'ai goûté des joies profondes, dans la petite maison du bord
de l'eau ; mais j'étais déjà abêtie, je savais à peine marcher, je
20 tombais lorsque je courais. Puis on m'a enterrée toute vive
dans cette ignoble boutique.

Thérèse respirait fortement, elle serrait son amant à pleins
bras, elle se vengeait, et ses narines minces et souples avaient
de petits battements nerveux.

25 – Tu ne saurais croire, reprenait-elle, combien ils m'ont
rendue mauvaise. Ils ont fait de moi une hypocrite et une
menteuse… Ils m'ont étouffée dans leur douceur bourgeoise, et je ne m'explique pas comment il y a encore du sang
dans mes veines… J'ai baissé les yeux, j'ai eu comme eux un
30 visage morne et imbécile, j'ai mené leur vie morte. Quand tu
m'as vue, n'est-ce pas ? j'avais l'air d'une bête. J'étais grave,

écrasée, abrutie. Je n'espérais plus en rien, je songeais à me
jeter un jour dans la Seine… Mais, avant cet affaissement,
que de nuits de colère! Là-bas, à Vernon, dans ma chambre
35   froide, je mordais mon oreiller pour étouffer mes cris, je me
battais, je me traitais de lâche. Mon sang me brûlait et je me
serais déchiré le corps. À deux reprises, j'ai voulu fuir, aller
devant moi, au soleil; le courage m'a manqué, ils avaient fait
de moi une brute docile avec leur bienveillance molle et leur
40   tendresse écœurante. Alors j'ai menti, j'ai menti toujours. Je
suis restée là toute douce, toute silencieuse, rêvant de frapper et de mordre.

INTRODUCTION

Situer le passage

Thérèse rencontre Laurent lorsque Camille l'amène, un jeudi soir,
au passage du « Pont-Neuf ». Très vite, Laurent et Thérèse deviennent amants et, dans cet extrait, Thérèse raconte son histoire à Laurent.

Dégager des axes de lecture

Auprès de Laurent, la personnalité de Thérèse s'éveille et elle s'exprime longuement. Une totale absence de liberté ressort de ses propos. Thérèse apparaît comme ballottée entre son tempérament et le
milieu dans lequel elle a été élevée.

PREMIER AXE DE LECTURE
LA VOIX DU SANG

Le rêve des origines

Thérèse s'exprime dans cet extrait à la première personne (« Je ne
leur souhaite pas de mal », l. 3). Pourtant tout son discours est déter-
miné par une instance extérieure (« On m'a dit que ma mère était fille
d'un chef de tribu en Afrique », l. 8-9). Thérèse intériorise sa relation
à ses origines : le « On m'a dit que », extérieur, est relayé par une

énonciation tout à fait personnelle : « j'ai souvent songé à elle, j'ai compris que » (l. 9-10). Elle imagine ce qu'elle aurait pu être : « toute petite, je rêvais de courir les chemins, les pieds nus dans la poussière, demandant l'aumône, vivant en bohémienne » (l. 6-8). Ou encore « j'aurais voulu ne la quitter jamais et traverser les sables, pendue à son dos » (l. 11-12). L'univers africain est évoqué à travers les termes « chef de tribu » et « Afrique » et on peut y lire une vie en contact avec la nature, une vie intense, où corps et âme s'épanouissent.

Par deux fois, Thérèse utilise le conditionnel passé : « j'aurais préféré » (l. 4), « j'aurais voulu » (l. 11). Cette forme verbale est un irréel du passé : les désirs de Thérèse sont irréalisables, puisqu'ils concernent une époque révolue. Thérèse associe ce passé mythique à des termes forts comme « besoin », « sang », « instincts » (l. 10). Elle a gardé de ses origines une capacité à vivre intensément, qui se transformera en violence destructrice.

La violence du tempérament

Plusieurs éléments rappellent le « tempérament de feu » de Thérèse : elle a des besoins « cuisants » (l. 5), des joies « profondes » (l. 18), « mon sang me brûlait et je me serais déchiré le corps » (l. 36-37). Sa liaison avec Laurent exacerbe sa sensualité.

Thérèse s'exprime dans un langage qui privilégie les figures de l'intensité. Elle utilise des tournures où l'adjectif exclamatif renforce le point d'exclamation : « Ah ! quelle jeunesse ! » (l. 12) ; « Mais, avant cet affaissement, que de nuits de colère ! » (l. 33-34). Son émotion s'exprime par des points de suspension, et par le passage rapide et décousu de l'affirmation à l'interrogation : « Quand tu m'as vue, n'est-ce pas ? j'avais l'air d'une bête » (l. 31). Les phrases sont juxtaposées : Thérèse ne coordonne pas, ne subordonne pas, et son monologue a un rythme haché. L'accumulation ternaire des termes reflète sa rancœur envers Camille et Mme Raquin : « J'ai baissé les yeux, j'ai eu comme eux un visage morne et imbécile, j'ai mené leur vie morte » (l. 29-30) ; « J'étais grave, écrasée, abrutie » (l. 32).

DEUXIÈME AXE DE LECTURE
LE MILIEU DES RAQUIN

Un groupe à la troisième personne

Thérèse confond Camille et Mme Raquin en un « ils » indifférencié, (Camille n'est nommé qu'une seule fois, l. 14) voire un « on ». Et Thérèse finit par dire qu'elle a fait « comme eux » (l. 29). La vie à Vernon est systématiquement évoquée à la troisième personne du pluriel : « leur hospitalité » (l. 5), « leur vie morte » (l. 30), « leur bienveillance molle et leur tendresse écœurante » (l. 39-40). Il existe une antinomie de fait entre le milieu d'origine de Thérèse et celui des Raquin : « chef de tribu » et « douceur bourgeoise » sont des antithèses absolues.

L'enfermement

Thérèse se sent en fait presque enfermée dans le mode de vie des Raquin. Les aspirations de Thérèse sont exprimées au passé (« je rêvais de », « j'ai songé »). L'enfance (« toute petite ») est associée à la liberté (« grand air », « pieds nus »). L'enfant est alors comme animalisé : « accroupie » (l. 15), « abêtie » (l. 19), « une bête », « abrutie » (l. 32). La liberté rêvée laisse place à un enfermement, et la préposition « dans » revient ainsi à quatre reprises (« dans la chambre », l. 14 ; « dans cette ignoble boutique », l. 21 ; « dans leur douceur bourgeoise », l. 27-28 ; « dans ma chambre froide », l. 34-35).

L'enfermement de Thérèse tourne à la résignation : « j'ai baissé les yeux » (l. 29). Thérèse renonce ainsi à regarder l'extérieur et reste cantonnée à l'intérieur clos des Raquin, à la « douceur bourgeoise ». L'image de l'enterrement est explicite : « on m'a enterrée toute vive » (l. 20), « ils m'ont étouffée » (l. 27), « écrasée » (l. 32). Thérèse finit par ressembler au lieu dans lequel elle vit, et les mêmes termes sont utilisés pour décrire le « corridor » du Pont-Neuf, et sa vie[1].

Thérèse passe donc des « besoins cuisants » de ses origines à la « douceur bourgeoise » des Raquin, d'une fougue naturelle à un « affaissement ». Thérèse devient un objet entre les mains des

---

1. Cf. lecture méthodique n° 1, p. 96.

Raquin. De sujet (« je ») qui s'exprime, elle devient objet : « ils m'ont rendue », « ils ont fait de moi » (l. 26), « ils m'ont étouffée », « ils avaient fait de moi » (l. 32). La phrase finale de l'extrait reflète cette scission intérieure : « restée là » s'oppose à « rêvant », et « toute douce, toute silencieuse » à « frapper » et « mordre ».

CONCLUSION

Thérèse est comme coupée d'elle-même. Ses origines la séparent radicalement du milieu dans lequel elle a été élevée. Toute son éducation l'a poussée à réprimer sa nature profonde – sauvage – et à se cantonner à la docilité (« alors j'ai menti »). Ce récit présente ainsi les instincts étouffés qui la conduiront logiquement et inéluctablement au crime à venir.

Thérèse, elle aussi, avait été visitée par le spectre de Camille, pendant cette nuit de fièvre.

La proposition brûlante de Laurent, demandant un rendez-vous, après plus d'une année d'indifférence, l'avait brusquement fouettée. La chair s'était mise à lui cuire, lorsque, seule et couchée, elle avait songé que le mariage devait avoir bientôt lieu. Alors, au milieu des secousses de l'insomnie, elle avait vu se dresser le noyé ; elle s'était, comme Laurent, tordue dans le désir et dans l'épouvante, et, comme lui, elle s'était dit qu'elle n'aurait plus peur, qu'elle n'éprouverait plus de telles souffrances, lorsqu'elle tiendrait son amant entre ses bras.

Il y avait eu, à la même heure, chez cette femme et chez cet homme, une sorte de détraquement nerveux qui les rendait, pantelants et terrifiés, à leurs terribles amours. Une parenté de sang et de volupté s'était établie entre eux. Ils frissonnaient des mêmes frissons ; leurs cœurs, dans une espèce de fraternité poignante, se serraient aux mêmes angoisses. Ils eurent dès lors un seul corps et une seule âme pour jouir et pour souffrir. Cette communauté, cette pénétration mutuelle est un fait de psychologie et de physiologie qui a souvent lieu chez les êtres que de grandes secousses nerveuses heurtent violemment l'un à l'autre.

Pendant plus d'une année, Thérèse et Laurent portèrent légèrement la chaîne rivée à leurs membres, qui les unissait ; dans l'affaissement succédant à la crise aiguë du meurtre, dans les dégoûts et les besoins de calme et d'oubli qui avaient suivi, ces deux forçats purent croire qu'ils étaient libres, qu'un lien de fer ne les liait plus ; la chaîne détendue traînait à terre ; eux, ils se reposaient, ils se trouvaient frappés d'une sorte de stupeur heureuse, ils cherchaient à aimer

ailleurs, à vivre avec un sage équilibre. Mais le jour où, poussés par les faits, ils en étaient venus à échanger de nouveau des paroles ardentes, la chaîne se tendit violemment, ils
35 reçurent une secousse telle, qu'ils se sentirent à jamais attachés l'un à l'autre.

INTRODUCTION

Situer le passage

Après le meurtre de Camille, Thérèse et Laurent n'ont pas repris leur liaison. Mais, lorsqu'ils cherchent à se revoir, ce désir retrouvé s'accompagne d'épisodes quasi hallucinatoires, où le spectre de Camille les visite.

Dégager des axes de lecture

Dans ce passage, qui ouvre le chapitre XVIII, la narration est un support à l'exposé des théories naturalistes, et la tonalité du texte est donc celle d'une démonstration scientifique. Le déterminisme auquel les êtres sont soumis est représenté sous une forme métaphorique.

PREMIER AXE DE LECTURE
UNE TONALITÉ SCIENTIFIQUE

Un retour en arrière

Ce passage est rédigé au plus-que-parfait, ce qui montre l'antériorité des événements sur le récit : les événements décrits ont déjà eu lieu, et ils sont racontés par un narrateur omniscient qui sait tout des pensées des personnages. Ainsi, le narrateur reprend l'élément déclencheur de la terrible insomnie des amants (« La proposition brûlante », l. 3) et le contenu de leurs cauchemars (« elle avait vu se dresser le noyé », l. 8). En fait, par l'emploi de groupes syntaxiques brefs, le narrateur revient sur les événements de la nuit précédente et dramatise le récit pour mettre en évidence l'importance de cette première apparition du spectre de Camille.

Le couple de Thérèse et de Laurent

Le narrateur rapproche Thérèse et Laurent. On trouve en premier lieu la comparaison : « comme Laurent », « comme lui » (l. 8-9). L'adjectif « même » revient à trois reprises : « à la même heure » (l. 13), « des mêmes frissons » (l. 17), « aux mêmes angoisses » (l. 18-19). Les deux meurtriers finissent par fusionner : « ils eurent dès lors un seul corps et une seule âme » (l. 19).

Alors que le temps du récit (passé) cède la place à un présent de vérité générale, des termes soulignent leur rapprochement : « parenté » (l. 16), « fraternité » (l. 18), « communauté » (l. 20). Thérèse et Laurent ne sont plus des individus et deviennent : « cette femme et cet homme » (l. 13-14). Le narrateur les présente même par la suite comme une catégorie médicale « les êtres que de grandes secousses nerveuses heurtent violemment l'un à l'autre » (l. 22-23). Le vocabulaire technique, et plus spécialement biologique (« détraquement nerveux », l. 14 ; « fait de psychologie et de physiologie » ou « grandes secousses nerveuses », l. 23-24) les réunit dans une même pathologie

DEUXIÈME AXE DE LECTURE
L'ILLUSTRATION DU DÉTERMINISME

La métaphore de la chaîne

Le narrateur utilise, dans un premier temps, un vocabulaire sentimental pour caractériser le lien qui unit Thérèse à Laurent. Il emploie ainsi l'image de la chaîne « qui les unissait » (l. 25), qui les attachait « l'un à l'autre » (l. 36).

Mais le narrateur revient ensuite sur cette représentation habituelle du couple. Le lien qui unit les personnages se ramène ainsi au corps et à ses besoins organiques et instinctifs. C'est la « chair » (l. 5), le « désir » (l. 9) qui sont accompagnés de termes à connotation négative comme « fièvre », « brûlante », « brusquement », « tordue ». Plus l'amour, le sens sentimental de la figure de la chaîne, est absent, plus la fatalité, le sens concret de la chaîne, est mis en valeur. Ainsi, l'image positive du lien amoureux se transforme en image diabolique : « chaîne rivée à leurs membres » (l. 25), « ces deux forçats » (l. 28), « un lien de fer » (l. 29). L'expression « ils se sentirent à jamais attachés l'un à l'autre » (l. 35) devient ainsi tragique. L'adverbe perduratif « à jamais » ; le verbe de sensation « se sentir », non pas actif mais pronominal ; le caractère redondant des pronoms « l'un à l'autre », après le pronom personnel réfléchi « se », indiquent que les personnages n'ont aucune prise sur leur union.

L'illusion de la liberté

Avec l'adjectif « pantelants » (l. 15), les personnages sont même comparés à des pantins, manipulés à l'aide d'une ficelle. Thérèse et Laurent n'ont jamais conscience de jouer une partie déjà écrite, mais les lois de l'hérédité, les mécanismes psychologiques dominent leur personnalité. Ils se croient maîtres de leurs actes mais le narrateur multiplie les termes qui fait de cette liberté une illusion. Par exemple, alors que Thérèse se décide à revenir vers Laurent, tout laisse penser que c'est à la suite d'un raisonnement : « elle s'était dit », « qu'elle n'aurait plus peur » (l. 10). Le sens du verbe de la proposition principale, la forme en « -rait » (futur dans le passé), marquent la réflexion, et une attitude de projection dans l'avenir. Cela indique combien Thérèse se croit capable d'échapper à l'instant présent, de faire des plans. De plus, les personnages sont sujets d'un verbe à l'actif, « ils cherchaient à aimer ailleurs » (l. 31-32), qui semble traduire leur disponibilité. Les termes « légèrement » (l. 25), « sage » (l. 32), « détendue » (l. 29), semblent indiquer qu'ils ont échappé au cycle infernal qui les avait menés au meurtre.

Mais le narrateur emploie une métaphore puissante pour montrer que cette liberté n'était qu'une illusion : « Ces deux forçats purent croire qu'ils étaient libres » (l. 28-29). La métaphore du bagne (« forçat ») figure un lieu dont on ne revient pas et le boulet que traînent les condamnés (« lien de fer » l. 29). S'ils « purent croire » être libres, c'est que les lois qui règlent leurs « tempéraments » furent pour un temps suspendues. Mais l'expression « poussés par les faits » (l. 32-33) indique clairement que les personnages ne sont pas maîtres de leur destinée, que des forces extérieures décident pour eux.

CONCLUSION

Cet extrait met en évidence la fatalité qui unit Thérèse et Laurent l'un à l'autre. Dans l'optique naturaliste de Zola, il n'y a pas d'échappatoire : Thérèse et Laurent « sont dominés par leurs nerfs et leur sang » (préface, p. 24). Leur liberté n'est qu'une illusion.

Tout à coup, Laurent crut avoir une hallucination.
Comme il se tournait, revenant de la fenêtre au lit, il vit
Camille dans un coin plein d'ombre, entre la cheminée et
l'armoire à glace. La face de sa victime était verdâtre et
5 convulsionnée, telle qu'il l'avait aperçue sur une dalle de la
Morgue. Il demeura cloué sur le tapis, défaillant, s'appuyant
contre un meuble. Au râle sourd qu'il poussa, Thérèse leva la
tête.

– Là, là, disait Laurent d'une voix terrifiée.

10 Le bras tendu, il montrait le coin d'ombre dans lequel il
apercevait le visage sinistre de Camille. Thérèse, gagnée par
l'épouvante, vint se serrer contre lui.

– C'est son portrait, murmura-t-elle à voix basse, comme
si la figure peinte de son ancien mari eût pu l'entendre.

15 – Son portrait, répéta Laurent dont les cheveux se dressaient.

– Oui, tu sais, la peinture que tu as faite. Ma tante devait
le prendre chez elle, à partir d'aujourd'hui. Elle aura oublié
de le décrocher.

20 – Bien sûr, c'est son portrait...

Le meurtrier hésitait à reconnaître la toile. Dans son
trouble, il oubliait qu'il avait lui-même dessiné ces traits
heurtés, étalé ces teintes sales qui l'épouvantaient. L'effroi lui
faisait voir le tableau tel qu'il était, ignoble, mal bâti, boueux,
25 montrant sur un fond noir une face grimaçante de cadavre.
Son œuvre l'étonnait et l'écrasait par sa laideur atroce ; il y
avait surtout les deux yeux blancs flottant dans les orbites
molles et jaunâtres, qui lui rappelaient exactement les yeux
pourris du noyé de la Morgue. Il resta un moment haletant,
30 croyant que Thérèse mentait pour le rassurer. Puis il distin-
gua le cadre, il se calma peu à peu.

INTRODUCTION

Situer le passage

Après le meurtre de Camille, Thérèse et Laurent sont poursuivis par le spectre de leur victime. En se mariant, ils croient s'unir contre leurs obsessions. Le chapitre XXI est le récit de leur nuit de noces. Mais trois personnages sont présents : les deux époux, et le tableau de Camille que Laurent, en proie à une hallucination, croit voir s'animer sous ses yeux.

Dégager des axes de lecture

Pour décrire le comportement des personnages, le narrateur recourt à des techniques d'écriture particulières : le réalisme est à la frontière du fantastique. Cependant, cette tonalité n'éloigne pas le texte de son propos : représenter le déterminisme, qui préside à l'action des personnages.

PREMIER AXE DE LECTURE
NATURALISME ET FANTASTIQUE

La focalisation interne

La technique narrative la plus à même de communiquer au lecteur les pensées d'un personnage est la focalisation interne. Ainsi, dès la première ligne, le terme « crut » indique que nous sommes passés dans la conscience de Laurent. La réalité s'efface pour laisser place aux projections de son esprit : « dans son trouble, il oubliait que » (l. 21-22), « qui lui rappelaient » (l. 28), « croyant que » (l. 30). Laurent délire : de « crut avoir une hallucination » (l. 1), on passe à « il vit Camille » (l. 2-3).

Apparemment, il y a une contradiction entre le projet naturaliste, de s'en tenir à la plus stricte objectivité, et le choix de la focalisation interne, qui nous entraîne dans la subjectivité du personnage de Laurent. Mais, selon une formule de Zola, l'art est « un coin de la création vue à travers un tempérament ». Le recours à la focalisation interne permet de montrer les rouages psychologiques de l'hallucination dont est victime Laurent, de mettre en évidence les manifestations de sa nature nerveuse.

La mise en scène de l'épouvante

Le texte est construit sur un passage de la focalisation interne à la focalisation externe. La plongée dans la conscience de Laurent sert à expliquer son comportement. La focalisation externe traduit les manifestations visibles de son angoisse. La tonalité fantastique du passage tient en partie à cette mise en scène de l'épouvante, qui prend un aspect tout à fait théâtral.

Le champ lexical de la peur domine l'ensemble du texte : « terrifiée » (l. 9), « l'épouvante » (l. 12), « son trouble » (l. 21-22), « l'effroi » (l. 23). L'effroi des personnages s'accompagne d'une série de manifestations physiques : ils perdent leurs moyens, sont frappés de stupéfaction (« cloué » et « défaillant », l. 6 ; « haletant », l. 29). Laurent ne peut plus s'exprimer. Son vocabulaire s'appauvrit à l'extrême et devient très répétitif : « là, là » (l. 9), « Son portrait » (l. 15), « Bien sûr, c'est son portrait » (l. 20).

La scène constitue ainsi un véritable tableau (« dans un coin plein d'ombre », « revenant de la fenêtre au lit », l. 2-3), où la parole est atténuée (« murmura-t-elle à voix basse », l. 13) au profit des gestes et des expressions (« le bras tendu », l. 10; « dont les cheveux se dressaient », l. 15-16). Le rôle du dialogue au style direct fait ressortir la perception faussée qu'ont les personnages de la réalité. Les paroles sont d'une grande banalité (le vocabulaire et la syntaxe sont simplistes, le contenu des propos peut sembler purement informatif) mais la narration est en complet décalage et décrit les manifestations de terreur qui sont liées à ces propos anodins. Il apparaît alors clairement que la peur est le moteur de l'action : elle s'est emparée de l'esprit des personnages, qui ne perçoivent plus la réalité.

DEUXIÈME AXE DE LECTURE
LE DÉTERMINISME EN ACTION

▌Un cas d'hallucination

Le narrateur cherche à frapper le lecteur, à lui montrer le déroulement de l'hallucination. Ainsi, dans la première partie de l'extrait, le narrateur fait référence à Camille et non à son portrait : « il vit Camille » (l. 2-3). Le passage de la focalisation externe (« Laurent crut avoir une hallucination », l. 1) à la focalisation interne (« il vit ») marque véritablement le début de l'hallucination. Ainsi, le terme « hallucination » est remplacé par « Camille », le symptôme par le personnage : nous sommes bien dans la description d'un état de conscience. L'hallucination se développe ensuite. L'esprit de Laurent se focalise sur le visage de Camille : « la face de la victime » (l. 4), « le visage sinistre de Camille » (l. 11). La partie de la pièce où se trouve le tableau étant dans l'ombre, il est plausible qu'on ne discerne effectivement que cette partie du portrait : la description est soigneusement organisée pour que la perception délirante de Laurent prenne appui sur des réalités extérieures objectives.

▌Le retour au réel

Zola écrit en effet dans une optique naturaliste, et tient à expliquer ces manifestations pathologiques. Ainsi, le rôle de l'intervention de Thérèse est d'en démonter les mécanismes. Pour montrer le retour à la rationalité, le texte s'éloigne du registre fantastique, et reprend un style narratif plus classique. L'obsession de Laurent se traduisait par le caractère répétitif des propos ; la perception rationnelle de Thérèse, au contraire, dépasse ce blocage, et propose des périphrases. A la perception faussée s'oppose la réalité, qui consiste à désigner les choses par leur nom : « portrait », « peinture » (l. 17), « toile » (l. 21), « tableau » (l. 24), « œuvre » (l. 26). L'hallucination prend fin, et la réalité reprend ses droits : le portrait est dans son « cadre » (l. 31) ; Camille est renvoyé au passé (« ancien mari » l. 14) ; les personnages sortent de leur étiquette de « meurtrier[s] » (l. 21), pour s'insérer dans une lignée (« Ma tante » l. 17).

Finalement, Laurent ouvre les yeux et « l'effroi lui faisait voir le tableau tel qu'il était » (l. 24).

Le tableau comme vérité prémonitoire

Thérèse et Laurent ont des raisons d'avoir peur. En effet, Laurent a peint le portrait de Camille avant le meurtre. Et le tableau prend dans ce passage un caractère prémonitoire : les « traits heurtés » (l. 22-23), et la « face grimaçante » (l. 25) rappellent la lutte de Camille lors du meurtre ; « teintes sales » (l. 23), « boueux » (l. 24), « deux yeux blancs flottant » (l. 27) évoquent le corps du noyé.

Laurent est ainsi épouvanté : « Il oubliait qu'il avait lui-même dessiné » (l. 22) ; « Son œuvre l'étonnait et l'écrasait par sa laideur atroce » (l. 26). Ces deux expressions marquent le dédoublement du personnage. Dans la première, les deux pronoms personnels « il » désignent Laurent, mais à deux époques différentes, avant et après le meurtre. Dans la seconde, Laurent est présent dans le groupe sujet par l'entremise de l'adjectif possessif « son », puis est COD. Dans les deux cas, l'individu est mis face à lui-même, et ne se reconnaît pas. Il se voit comme il verrait un autre.

Il a peint Camille vivant, comme s'il était déjà mort. Laurent prend conscience à cet instant du caractère inéluctable de son crime, qu'il avait, malgré lui, conçu nettement à l'avance.

CONCLUSION

On voit donc dans cet extrait comment peuvent se combiner volonté de scientificité et tonalité fantastique. L'association des deux éléments donne au texte une allure dramatique. Le but de l'écrivain naturaliste apparaît alors clairement . la narration sert d'illustration à une théorie qu'il s'agit de démontrer.

Laurent comprit qu'il avait trop regardé Camille à la Morgue. L'image du cadavre s'était gravée profondément en lui. Maintenant, sa main, sans qu'il en eût conscience, traçait toujours les lignes de ce visage atroce dont le souvenir le sui-
5 vait partout.

Peu à peu, le peintre, qui se renversait sur le divan, crut voir les figures s'animer. Et il eut cinq Camille devant lui, cinq Camille que ses propres doigts avaient puissamment créés, et qui, par une étrangeté effrayante, prenaient tous les
10 âges et tous les sexes. Il se leva, il lacéra les toiles et les jeta dehors. Il se disait qu'il mourrait d'effroi dans son atelier, s'il le peuplait lui-même des portraits de sa victime.

Une crainte venait de le prendre : il redoutait de ne pouvoir plus dessiner une tête, sans dessiner celle du noyé. Il
15 voulut savoir tout de suite s'il était maître de sa main. Il posa une toile blanche sur son chevalet ; puis, avec un bout de fusain, il indiqua une figura en quelques traits. La figure ressemblait à Camille. Laurent effaça brusquement cette esquisse et en tenta une autre. Pendant une heure, il se
20 débattit contre la fatalité qui poussait ses doigts. À chaque nouvel essai, il revenait à la tête du noyé. Il avait beau tendre sa volonté, éviter les lignes qu'il connaissait si bien ; malgré lui, il traçait ces lignes, il obéissait à ses muscles, à ses nerfs révoltés. Il avait d'abord jeté les croquis rapidement ; il s'ap-
25 pliqua ensuite à conduire le fusain avec lenteur. Le résultat fut le même : Camille, grimaçant et douloureux, apparaissant sans cesse sur la toile. L'artiste esquissa successivement les têtes les plus diverses, des têtes d'anges, de vierges avec des auréoles, de guerriers romains coiffés de leur casque,
30 d'enfants blonds et roses, de vieux bandits couturés de cicatrices ; toujours, toujours le noyé renaissait, il était tour à tour

ange, vierge, guerrier, enfant et bandit. Alors Laurent se jeta
dans la caricature, il exagéra les traits, il fit des profils monstrueux, il inventa des têtes grotesques, et il ne réussit qu'à
35 rendre plus horribles les portraits frappants de sa victime. Il
finit par dessiner des animaux, des chiens et des chats ; les
chiens et les chats ressemblaient vaguement à Camille.

INTRODUCTION

Situer le passage

Thérèse et Laurent se sont mariés. Laurent veut cesser de travailler, et vivre des revenus de Thérèse et de sa tante. Il vient donc
de louer un atelier où il pourra peindre. Rencontrant un ami, il l'invite
à voir ses toiles. Celui-ci est impressionné par la qualité de son travail, mais lui fait remarquer que ses portraits se ressemblent tous.
Laurent découvre avec effroi qu'il peint sans cesse le visage de
Camille.

Dégager des axes de lecture

Une fois de plus, le récit est au service d'une démonstration. Ainsi,
le texte a un caractère narratif net mais, derrière cette apparence,
pointe la théorie déterministe : Laurent est un possédé, il est l'es-
clave d'une partie de lui-même qu'il ne maîtrise pas.

PREMIER AXE DE LECTURE
LES ÉLÉMENTS NARRATIFS DU RÉCIT

L'organisation chronologique

Le narrateur expose la façon dont Laurent bascule dans une forme
de folie. Pour ce faire, il marque l'évolution du personnage grâce à un
usage classique des temps du récit.

Le passé simple apparaît pour rapporter les actions, ou les éléments, même psychiques, qui modifient la situation : « Laurent comprit qu'il avait trop regardé Camille à la Morgue » (l. 1) ; « [Laurent] crut
voir les figures s'animer » (l. 7) ; « il se leva, lacéra les toiles et les jeta

dehors » (l. 10). L'emprise de la folie progresse par paliers, que l'imparfait sert à commenter : « il redoutait de » (l. 13), « il obéissait à » (l. 23) ; « les chiens et les chats ressemblaient vaguement à Camille » (l. 37).

Enfin, temps du récit et repères temporels se combinent. Les éléments antérieurs sont au plus-que-parfait (« il avait trop regardé », l. 1 ; « s'était gravé », l. 2) ; la suite des actions est rythmée au moyen d'adverbes de temps (« peu à peu », l. 6 ; « tout de suite », l. 15 ; « puis », l. 16 ; « pendant une heure », l. 19 ; « d'abord », l. 24 ; « ensuite », l. 25 ; « successivement », l. 27 ; « alors », l. 33).

La focalisation

On peut constater au fil de l'extrait un changement de point de vue narratif. La première partie de l'extrait épouse le point de vue de Laurent. Il s'agit d'une focalisation interne, et le vocabulaire de l'intériorité domine (« comprit », l. 1 ; « le souvenir », l. 4 ; « crut voir », l. 6 ; « il se disait », l. 11 ; « une crainte », « il redoutait », l. 13 ; « il voulut savoir », l. 15). La narration prend un caractère plus dramatique : le lecteur participe au délire de Laurent.

Mais progressivement, au début du troisième paragraphe, sans que la frontière soit tout à fait nette entre les deux, un glissement s'opère de la focalisation interne vers la focalisation zéro. Le narrateur apparaît comme extérieur au récit, devient plus objectif, et le récit glisse peu à peu vers l'analyse. La description passe au comportement extérieur de Laurent, à ses seuls gestes (« Il posa », l. 15 ; « il indiqua », l. 17 ; « Laurent effaça », l. 18). Elle est bien le fait d'un narrateur omniscient qui connaît tous les faits et toutes les pensées des personnages. Il présente ainsi des éléments qui échappent même à Laurent (« sans qu'il en eût conscience » l. 3, « malgré lui » l. 22-23).

DEUXIÈME AXE DE LECTURE
L'APPLICATION D'UNE THÉORIE

Le dédoublement de Laurent

Malgré tous ses efforts, Laurent ne parvient pas à peindre autre chose que le visage de Camille. Son corps prend les commandes, et sa volonté est comme annihilée : « sa main, sans qu'il en eût conscience, traçait les lignes » (l. 3-4); « cinq Camille que ses propres doigts avaient puissamment créés » (l. 8-9); « la fatalité qui poussait ses doigts » (l. 20) ; « il obéissait à ses muscles, à ses nerfs révoltés » (l. 23). Ceci explique que le personnage se révèle soudain capable de faire « une figure en quelques traits » (l. 17), une « esquisse » (l. 19), des « caricature[s] » (l. 33). Il peut changer de rythme, de formes, de genre pictural; il est désigné par l'expression « l'artiste » (l. 27). On est loin du Laurent du début de l'œuvre, calculateur et maladroit avec ses pinceaux !

Prisonnier de la figure de Camille, Laurent s'interroge sur lui-même : « il voulut savoir tout de suite s'il était maître de sa main » (l. 15). Quelque chose en Laurent, de plus puissant que sa volonté, a pris le pouvoir (« en lui » l. 3). Et il tente d'exorciser cette force, de retrouver sa liberté : c'est ce que symbolise l'adverbe « dehors » (« il se leva, lacéra les toiles et les jeta dehors » l. 10-11). Mais il est voué dans cet effort à l'échec : « malgré lui, il traçait » (l. 22-23). Les deux pronoms personnels de troisième personne, « lui », et « il » font référence l'un et l'autre à Laurent, mais l'un agit, l'autre subit.

L'arrêt du temps

Alors que Laurent ne maîtrise plus sa main, le temps semble s'arrêter. L'organisation des temps du texte (plus-que-parfait, passé simple et imparfait) marquait d'abord une progression. Elle laisse place à une répétition marquée par l'imparfait. De plus, l'adverbe « maintenant » voisine avec l'adverbe « toujours » : « Maintenant, sa main traçait toujours » (l. 3-4); « d'abord », « ensuite », se résorbent dans « le même », et « sans cesse » (l. 26-27); « successivement » (l. 27) est annulé par la répétition « toujours, toujours » (l. 31). Ou encore la nouveauté

(« chaque nouvel essai », l. 20), est ramenée à la reproduction du même par le préfixe « -re » : « il revenait ».

Par ailleurs, l'imparfait est accompagné de la négation « ne... plus », marquant une fracture : « il redoutait de ne plus pouvoir dessiner une tête, sans dessiner celle du noyé » (l. 13-14). Une barrière sépare Laurent du temps linéaire, réel, chronologique. Laurent se trouve cantonné à la répétition, revient sans cesse à la figure de Camille. Et cette barrière est bien le crime, l'événement traumatique que constitue le meurtre.

La fixation obsessionnelle

Le texte veut illustrer le phénomène psychique de l'obsession, du retour incoercible du même élément dans l'esprit d'une personne. Dans cet extrait, Laurent lutte contre la figure de Camille. Il multiplie les tentatives pour lui échapper : « L'artiste esquissa successivement les têtes les plus diverses, des têtes d'anges, de vierges avec des auréoles, de guerriers romains coiffés de leur casque, d'enfants blonds et roses, de vieux bandits couturés de cicatrices » (l. 27-31). La diversité est ici marquée par plusieurs moyens : l'énumération ; le pluriel ; la variété des expansions du nom (complément introduit par « avec », adjectifs qualificatifs, participes passés) ; et bien sûr la variété thématique. Mais cette diversité, symbole de liberté, est réduite à néant : le pluriel est ramené au singulier, la multiplicité des thèmes à une figure unique : « toujours, toujours le noyé renaissait » (l. 31).

CONCLUSION

Au moment où Laurent devient enfin artiste, où son talent se déploie, la voie de l'art lui est fermée. L'art est à l'écoute de ce qu'il y a de plus profond en l'homme. Et de l'esprit de Laurent surgissent « des profils monstrueux », « des têtes grotesques ». L'écriture naturaliste de Zola sonde également la profondeur des êtres. Le romancier fait apparaître ici le travail souterrain des pulsions et met en évidence, à travers la peinture, le pouvoir obsédant qu'a le spectre de Camille sur Laurent.

À ce moment, cette sensation étrange qui prévient de
l'approche d'un danger fit tourner la tête aux époux, d'un
mouvement instinctif. Ils se regardèrent. Thérèse vit le flacon dans les mains de Laurent, et Laurent aperçut l'éclair
5 blanc du couteau qui luisait entre les plis de la jupe de Thérèse. Ils s'examinèrent ainsi pendant quelques secondes,
muets et froids, le mari près de la table, la femme pliée
devant le buffet. Ils comprenaient. Chacun d'eux resta glacé
en retrouvant sa propre pensée chez son complice. En lisant
10 mutuellement leur secret dessein sur leur visage bouleversé,
ils se firent pitié et horreur.

Mme Raquin, sentant que le dénouement était proche, les
regardait avec des yeux fixes et aigus.

Et brusquement Thérèse et Laurent éclatèrent en san-
15 glots. Une crise suprême les brisa, les jeta dans les bras l'un
de l'autre, faibles comme des enfants. Il leur sembla que
quelque chose de doux et d'attendri s'éveillait dans leur poitrine. Ils pleurèrent, sans parler, songeant à la vie de boue
qu'ils avaient menée et qu'ils mèneraient encore, s'ils étaient
20 assez lâches pour vivre. Alors, au souvenir du passé, ils se
sentirent tellement las et écœurés d'eux-mêmes, qu'ils
éprouvèrent un besoin immense de repos, de néant. Ils
échangèrent un dernier regard, un regard de remerciement,
en face du couteau et du verre de poison. Thérèse prit le
25 verre, le vida à moitié et le tendit à Laurent qui l'acheva d'un
trait. Ce fut un éclair. Ils tombèrent l'un sur l'autre, foudroyés, trouvant enfin une consolation dans la mort. La
bouche de la jeune femme alla heurter, sur le cou de son
mari, la cicatrice qu'avaient laissée les dents de Camille.

30 Les cadavres restèrent toute la nuit sur le carreau de la
salle à manger, tordus, vautrés, éclairés de lueurs jaunâtres

par les clartés de la lampe que l'abat-jour jetait sur eux. Et, pendant près de douze heures, jusqu'au lendemain vers midi, Mme Raquin, roide et muette, les contempla à ses pieds, ne
35 pouvant se rassasier les yeux, les écrasant de regards lourds.

INTRODUCTION

Situer le passage

Le chapitre XXXII est le dénouement du drame. Le spectre de Camille s'est définitivement installé entre Thérèse et Laurent. Leur vie est une suite infernale de querelles et de cauchemars. Après avoir déjà tué une fois, chacun d'eux ne voit que le meurtre de l'autre comme issue : Thérèse a prévu de poignarder Laurent, tandis que Laurent prépare à sa femme un verre de poison.

Dégager des axes de lecture

Le dénouement peut se lire sur deux plans. Il met un terme au récit, en représentant la fin de ce couple uni dans les mêmes souffrances. Mais, comme souvent chez Zola, le récit est porté par une intention didactique : le texte se rapproche alors d'une représentation théâtrale, et plus spécialement de la tragédie, dont le rôle est d'exercer une influence sur le lecteur/spectateur.

PREMIER AXE DE LECTURE
LA FIN DE L'INTRIGUE

La récapitulation

Le démonstratif (« à ce moment », « cette sensation », l. 1) met en évidence le caractère exceptionnel du moment. Il a une intensité particulière, que les connotations des termes « brusquement » (l. 14) et « crise » (l. 15) soulignent. Les personnages semblent prendre conscience de quelque chose dans cet extrait. Ils se remémorent des événements (« au souvenir du passé », l. 20), et prennent conscience d'un destin. Pour eux passé et futur se confondent : « songeant à la vie de boue qu'ils avaient menée et qu'ils mèneraient encore » (l. 19-

20). Dans cette phrase, le plus-que-parfait marque l'antériorité, et le conditionnel la postériorité. Le rapprochement de deux époques par la syntaxe semble effacer le temps présent, l'actualité : le texte lie directement l'avenir au passé. Les personnages n'ont ainsi aucune prise sur leur vie.

L'union finale du couple

La proximité des personnages est rendue sensible à l'aide de procédés insistant sur l'union. Le narrateur met en évidence le lien qui les rapproche : « époux » (l. 2), « le mari » (l. 7), « la femme » (l. 7). Ils sont d'abord désignés par leur noms, puis, unis par le pluriel de communauté (« ils », « eux-mêmes », l. 21), et deviennent sujets des mêmes actions. Les verbes réfléchis en sont la marque : « Ils se regardèrent » (l. 3), « ils s'examinèrent » (l. 6), « ils se firent pitié et horreur » (l. 11) ; ou encore les pronoms réciproques : « dans les bras l'un de l'autre » (l. 15), « l'un sur l'autre » (l. 26). L'adverbe « mutuellement » (l. 10), et les gestes qu'ils effectuent (« Ils échangèrent un dernier regard » l. 23, « Thérèse prit le verre, le vida à moitié et le tendit à Laurent qui l'acheva d'un trait » l. 25-26) indiquent que Thérèse et Laurent connaissent une proximité qu'ils n'avaient encore jamais connue depuis leur mariage.

Dans cette fusion, ils échangent les moyens de tuer traditionnellement affectés aux sexes masculin et féminin : c'est Laurent qui pense utiliser le poison, tandis que Thérèse prévoyait le poignard : « Thérèse vit le flacon dans les mains de Laurent, et Laurent aperçut l'éclair blanc du couteau qui luisait entre les plis de la jupe de Thérèse » (l. 4-6).

L'issue fatale

Dans cette fin de récit, les deux personnages sont victimes de leurs pulsions. Ils atteignent d'abord un certain degré d'animalité (« sensation étrange », l. 1 ; « mouvement instinctif », l. 3). Ils ne vivent plus : ils sont « muets et froids » (l. 7), « chacun d'eux resta glacé » (l. 8). La description annonce très nettement la figure du cadavre. Le verbe « rester » revient ainsi deux fois dans le texte (« chacun d'eux resta glacé » l. 8 ; « les cadavres restèrent toute la nuit » l. 30), liant leur silence à leur mort. Et ce silence a presque valeur de bilan : « au souvenir du passé, ils se sentirent tellement las et écœurés d'eux-mêmes, qu'ils éprouvèrent un immense besoin de repos, de néant » (l. 20-22). La mort est une issue au cercle infernal que constitue leur vie : le terme « repos » (l. 22) est synonyme de « néant » (l. 22) et de « mort » (l. 27). L'adjectif à valeur superlative « immense » (l. 22) indique la nature extraordinaire du « repos » auquel ils aspirent.

DEUXIÈME AXE DE LECTURE
UNE MISE EN SCÈNE TRAGIQUE

▌Le spectacle de la mort

La tragédie est d'abord un spectacle. Or, le point de vue narratif est essentiellement celui de la focalisation externe, c'est-à-dire celui d'un spectateur témoin de la scène à laquelle il assiste : ils « éclatè-rent en sanglots » (l. 14-15), « pleurèrent » (l. 18), « prit le verre » (l. 24), « tombèrent » (l. 26).

De fait, il y a un personnage pour représenter le spectateur, Mme Raquin : « Mme Raquin, sentant que le dénouement était proche, les regardait avec des yeux fixes et aigus » (l. 12-13). Comme le spectateur, elle assiste à l'action. Elle est là, assise, trépignant, paralysée, ne pouvant que regarder. Elle est comme au spectacle : « Et, pendant près de douze heures, jusqu'au lendemain vers midi, Mme Raquin, roide et muette, les contempla à ses pieds, ne pouvant se rassasier les yeux » (l. 32-35).

▌« Horreur et pitié »

Le rôle de la tragédie est, selon Aristote, d'éveiller en l'esprit du spectateur les sentiments d'« horreur » et de « pitié ». De fait, la des-cription de la scène joue sur les registres macabres et pathétiques à la fois.

C'est d'abord le registre macabre qui apparaît. La position des cadavres « tordus », « vautrés » (l. 31), rappelle que dans la mort, rien d'autre ne subsiste qu'un corps inerte, ramené au rang de chose, qui n'a plus rien d'humain ou de moral. La volonté de ramener l'homme à sa partie strictement matérielle est également présente dans le dernier rappel de Camille, évoqué par ses dents (« la cicatrice qu'avait laissée les dents de Camille » l. 29). L'horreur de la scène n'exclut ainsi pas le fantastique, puisque jusque dans la mort des criminels, le spectre de leur victime est présent.

Le pathétique, quant à lui, repose sur le registre lexical de la souffrance et de ses manifestations extérieures : « éclatèrent en sanglots » (l. 15), « ils pleurèrent » (l. 18), « une consolation » (l. 27). L'image du couple se transforme alors : ce ne sont plus des assassins endurcis, prêts à commettre un second crime, mais des êtres « faibles comme des enfants » (l. 16), qui connaissent enfin « quelque chose de doux et d'attendri » (l. 17).

▌Le jugement du spectateur

Accompagnant Mme Raquin, immobile, le spectateur assiste à la scène. Celle-ci constitue en fait un véritable jugement : « les écrasant de lourds regards » (l. 35). Le terme « écrasant » indique une position de supériorité et traduit le regard moral. Le dernier paragraphe est ainsi une véritable mise en scène : les inculpés sont présents sous la forme des « cadavres » (l. 30), ils sont éclairés par « les clartés de la lampe que l'abat-jour jetait sur eux » (l. 32). La mort de Thérèse et Laurent s'apparente ainsi à une condamnation : ils tombent, foudroyés, aux pieds de Mme Raquin, impuissante mais vengée qui peut enfin se « rassasier ».

CONCLUSION

Ce passage met bien en lumière les motivations de Zola. Il ne s'agit pas seulement de faire un portrait le plus fidèle possible d'une réalité morbide, ou laide. L'écrivain n'est pas attiré vers la laideur par complaisance, mais par devoir. Le naturalisme veut mettre en évidence l'influence de l'hérédité et du milieu sur les comportements humains. Expliquer les pulsions, les analyser, les disséquer, est un moyen de les neutraliser. Ce texte illustre bien la portée morale de l'écriture naturaliste.

Bibliographie

OUVRAGES GÉNÉRAUX SUR ZOLA
ET SUR LE NATURALISME

- LANOUX Alexandre, *Bonjour, Monsieur Zola*, Hachette, 1962 (une bio-graphie claire et vivante de Zola).
- MITTERAND Henri, *Zola journaliste*, A. Colin, 1962 (l'ouvrage le mieux documenté qui soit sur cet aspect de l'activité de Zola, qui permet de comprendre les batailles politiques et artistiques menées par Zola).
- CHEVREL Yves, *Le Naturalisme*, PUF, 1982 (un historique, une analyse des thèmes, des ambitions et des limites de la doctrine naturaliste).

OUVRAGES SUR *THÉRÈSE RAQUIN*

- LAPP Jean, *Les Racines du naturalisme*, Bordas, 1972 (comment le roman est-il une préfiguration du naturalisme ?).
- MITTERAND Henri, « Une anthropologie mythique : le système des personnages dans *Thérèse Raquin* et *Germinal* » dans Le Discours du roman, PUF, 1980 (une étude des symétries et des oppositions).
- RICKERT Bernard, « *Thérèse Raquin*, observations sur la structure dramatique du roman », *Les Cahiers naturalistes*, 1980.

Index

Guide pour la recherche des idées

Naturalisme

Pathétique

Peinture

Tempérament

Temps

Impression : **Bussière Camedan Imprimeries**
à Saint-Amand-Montrond (Cher), France.
Dépôt légal : août 2000. N° d'édit. : 18291. N° d'imp. : 003364/1.